JN117527

日本社会は鬼ばかり

―老練精神科医の時評

瀬戸 睿

はじめに

もう八十歳になってしまった。

二十数年前から一緒に働いている人を呼ぼうとしたら「え〜っと　誰だっけなぁ？」指を指して「君だよ、君……」。

私に指さされた相手の女性は「私？　私なの？　何ですか？」と不服そうだ。

「そう君だよ、名前忘れちゃって……何ていったっけ？」

「失礼ね、宮田です！　ミヤタ！」

「そんなに目をつり上げるなよ……呆けてんだよ、それくらい分かってくれよ。何年付き合ってんだよ」

「分かったわよ……それで何？」

「あっ……用件を忘れちゃった」

まるで漫才にもならない会話、そんなことが多くなってきた今日この頃。

前に本を書いたのは何年前だっけ……と思い返し、部屋のアチコチを探し回った。やっと『2018・5・31初版発行』と記載のある『精神科医が世相を斬る』を見つけ出す。

「そうか、あれからまだ3年だったのか。もう5年くらい前だと思ったんだけど」

次も出そう出そうと思って5年くらい悩んでいたと思ったが、たった3年前のことかと天井を仰ぐ。たった3年なのに、書きたいことが山のように頭に散らばっている。なのに次々と忘れていってしまう。思いついた時に書かないと、とは思うのだが、その時間がない。

仕事やら時間やら、いつも何かに追われ続けているが、今が書くべき時だと思い定め、椅子に座ってこれを書いている。熱海の土石流、都議選が終了、オリンピック、コロナ禍などなど、あれこれのニュースがマスコミから流れてくる。また、中島みゆきを聴きながら、今夜はイングリッド・バーグマンを観よう。『カサブランカ』だ。ハンフリー・ボガートとの共演だ。カラーだと思ったら白黒だった。でも昔の映画はいい、バーグマンは私が小5の時に観た、初恋の人だ。今でも世界一の美女だなぁ……と思う。映画の筋としてはナチズムとの戦いが絡んでいたはずだが、忘れちゃった。

第三章　日々、思うこと

【注記】
・記事は各章ごとに時系列で配置し、文末に執筆・媒体掲載時期を記載しています。
・執筆時期が不明のものは、無記としています。

第一章　政治の不実

政治・行政の欺瞞

夕方にはスズムシが鳴き、秋の風も涼しくなってきました。

しかし、世界中の暗い雰囲気は続いています。日本では安倍政権が、モリカケ隠しと野党のズッコケを狙い、総選挙に踏み切りました。本当にずる賢い人ですね。多くの国民がまた騙されるでしょう。

精神医療界は、相模原での障害者殺傷事件以降、措置入院の見直しと称して、警察・行政等と協力して、措置入院者の退院後の見守りを義務付ける法改正を考えています。心ある精神医療界からは、精神障がい者の差別偏見につながると反対意見が多く見られます。当法人もその意見に賛同し、反対していきます。

２０１７年９月21日

嘘

国会では嘘が横行しています。

例えば、柳瀬首相秘書官が愛媛県今治市の職員と2015年4月に面会した文書を示された際「私の記憶の限りでは会ったことがない」と答弁しました。首相の秘書官たる者は毎日毎日、首相の様々な予定が詰まっているため、メモがなければスケジュール管理などはできないはずです。ならば記憶を辿らなくても当時のメモなり手帳なりを見返せば、自分がどこにいて何をしていたのかが分かるはずです。しかし、会っていたことが分かれば、それは安倍首相も知っていたことになり、安倍の退陣につながります。そのため、決して会っていないことにしなければならないのです。その逃げの手段として「私の記憶の限りでは……」と述べ、大嘘をつかざるを得なかったのです。

政治家は、ある事柄を隠さなければならない時に、この「私の記憶では……」という言い回しをよく使います。この言葉が出た時は、それはみんな嘘です。この嘘の多さからして、今の政府は「嘘つき政府」といって間違いないでしょう。いくら安倍でも、もうこれ以上、嘘のつけない状態になっていると考えてよいでしょう。

過去を遡れば、第2次世界大戦時にインパールで大敗を喫した際、政府は決してそれを認めず、逆に大勝していると報道しました。政府に支配されていたマスコミも政府のいう通りに嘘を鵜呑みにして報道し、国民に信じ込ませました。

その後でいえば、ベトナム戦争時のベンタゴン・ペーパーズがあります。これは正式名称を「ベトナムにおける政策決定の歴史、1945年－1968年」といい、文字通りベトナム戦争での政策決定に関する報告書です。これによると1960年代以降の十数年にわたり、アメリカがベトナム戦争での勝利の見通しがないことを隠し続けたことが明かされています。見通しの立たない戦争のために、ベトナム人民は大量に虐殺され続け、アメリカの若者が数万人も死んでしまいました。この一件はスティーブン・スピルバーグ監督によって「ペンタゴン・ペーパーズ 最高機密文書」として映画化されています。

「優しい嘘」もありますが「権力者や人殺しの嘘」は許してはなりません。

今度、私が書いた「孤高の精神科医が世相を斬る!!」という本が5月初旬に全国販売されます。マスコミ等とは別視点でアレコレ述べています。ぜひご購入を！

「こんな見方もあるんだ」と、皆さんの思考に変化をもたらすことを期待しております。

２０１８年春

春はどこかに行ってしまい、冬のひと夏の日が交互に飛来します。しかし、梅雨は来るでしょう。

加計さんとか、柳瀬氏とか、昭恵夫人とかを証人喚問に出せば、安倍のいう「膿」は全部出せるのに、それをしません。それは膿が全部出れば、自分もその膿に飲み込まれてしまうからです。だから、理屈抜きで何をいわれようとお構いなく、膿を出さないように防衛します。では、その先はどうなるのでしょうか?

①臭いものに蓋で逃げ切る　②内閣改造　③内閣総辞職　④解散総選挙　その内の1つでしょう。今、内閣の支持率が30％台あることで、マスコミの力も弱いし、野党も弱く攻めも甘い、それで①で押し進めていくつもりでしょう。支持率が20％台になった時に、はじめて安倍退陣が現実的になるでしょう。官僚の反乱があれば決定

現内閣の行く末は?

的なものになるでしょうが、その望みは薄そうです。となると①で乗り切ることになるでしょう。安倍一強体制のまま総選挙も乗り切って、続くことが予想されます。何とかそれを打ち破る体制がとれないと、しばらくは絶望的な日本が続きそうです。

Eテレで、東日本大震災でつぶれた病院が4つもでてきて、そのために40年も入院しっぱなしの人が退院できて、立派に社会人として自立していく姿が放映されました。日本の精神医療も根っこのところで昔と変わっていないんだとの思いを深くしました。当法人もそれに押し切られずに退院させる体制を守っていきましょう。

瀬戸の本が5月10日に全国発売となりました。早速、横浜の方からその本を読み、当院に来たいという連絡が入り、受けることにしました。これからもそういう連絡が来ると思いますが、どんどん受けていきましょう。そのためにも退院を進めていきましょう。

２０１８年5月17日

アイヒマンと日大アメフト問題及び日本の政治の違い

アドルフ・アイヒマンは57年前の今日、私がいまこの原稿を書いている5月31日に絞首刑に処された。600万人ともいわれるユダヤ人虐殺の責任者の一人として。アイヒマンは裁判の中で、全ては上からの命令で行ったことで、命令に従うことが自分の責務だったと主張し続けた。

折も折、日大アメフト部問題が表面化した。当事者である宮川泰介選手は記者会見で、監督、コーチの指導のもとに行った行為であるが、自分自身がその善悪を考えずに、あのラフプレーを犯したことが問題であり、最終的に自分自身の責任であると率直に述べた。しかし監督やコーチは宮川選手への指導を認めず、責任を回避した。

モリカケ問題で揺れる政治の場ではどうか？　柳瀬元首相秘書官とか今井総理秘

書官とか、多くの官僚が安倍を守る為に嘘の発言をし続ける姿を見るにつけ、アイヒマン型人間が支配し続けていることが、日本の政治と社会の現状なのだと痛感させられる。

軍隊では上官の命令が絶対である。上官が黒といえば白も黒になるし、人を殺せと命令されれば殺さざるを得ない。今の日本は、この軍隊のような組織に変わってきたといえる。一人でも二人でも、この勇気ある宮川泰介選手や、前文部科学事務次官・前川喜平氏のような人が出てくるべきであろう。権力者のいう通りに自分や家族を守るのではなく、時によっては、それを振り切ってまで真実を明らかにする勇気を持つことが、国民全員に求められる時代になっている。

そうでなければ、この日本は戦前のように、異を唱える者は非国民として断罪される時代に逆行してしまうであろう。

２０１８年６月８日

先行き怪しいこの国

どうも日本の雲行きは怪しい。

大阪の地震、新幹線での殺傷、虐待により5歳で亡くなった結愛ちゃんの手紙、日大のアメフト問題、加計学園の理事長の記者会見、国会の空転等、挙げたらきりがない。暗雲が立ち込めているようだ。梅雨が明けたらスッキリするのだろうか？

瀬戸の本は、患者さんや家族の間ではかなりの好評だと聞いた。それは嬉しいことではあるが、一般受けはどうだろうか。

２０１８年６月21日

SEIKO
山野楽器
教文館
山野楽器
キムラヤのパン
Ermenegildo Zegna
MIZUHO

政治家も自分も、暑さに狂ってしまったか

凄い猛暑だ。35℃以上、ところによっては40℃にもならんとしている。熱中症で亡くなる人も多数、特に西日本は大水害の直後でこの暑さだ。孤立した市町村では、水も食料も途絶え、疲弊しきった人達で溢れている。

その真っ最中、安倍首相を筆頭に岸田政調会長、小野寺防衛大臣、竹下総務会長、上川法務大臣など50人の自民党員が「赤坂自民亭」と称し、ワイワイガヤガヤの懇親会を催した。これは岡山、愛媛等々の西日本被災地の人達だけではなく、国民全員の怒りを呼ぶ行為だろう。しかもその日は、オウム真理教事件の死刑囚7人の、死刑執行の前日であった。それなのに、執行書類に自ら判を捺したはずの上川法務大臣は、宴会場でVサインをし、笑顔で写真に収まっている。何という破廉恥さであろう!!　こうした人達が、日本の政治を牛耳っているのだ。彼らを選挙で選んだ

国民は、自ら恥と思わなければならない。これで怒らない国民は、この政治家どもと同類と考えてよい。

猛烈な暑さの中、私も頭がパンク寸前で怒りまくっている。その行き場のない怒りのためか、前日の外来での手違いから、外来看護師を叱りつけてしまった。しかしこれは私のミスが原因で起こったことだった。自分の呆けの故なのに、申し訳ないことをしてしまった。自分が情けない、本当にごめんなさい。

2018年7月19日

ハンナ・アーレントに教わる

ユダヤ人としてナチスの迫害に遭ったハンナ・アーレントは「本当の悪は、平凡な人間（大衆）の行う悪です」と『全体主義の起源』で述べている。

彼女によれば、ナチスが台頭したのは大衆がヒトラーに従ったからだという。もっともな見方である。今の日本は、安倍（当時のリーダー）〜側近（議員）〜エリート（官僚）〜全ての自民党員〜シンパ（一般大衆）からなる、強固なヒエラルキー（縦の権力構造）によって構成されつつあると考えてよい。

この嘘の塊のリーダー（安倍）の下で、日本の一般大衆は嘘で固まった国の方針を押し付けられることに、半ば無抵抗になっている。事実でなくても事実だと強弁する力に、引きずられてしまっている。森友、加計が問題だとマスコミが暴露し大衆が同意しても、実際に政権が自分たちの生活を保障してくれるのだからと、それらの嘘には目をつぶり、無意識に自民党に投票してしまう。大衆が無批判であり、それが当時の安倍政権を作っていた。

私の現在の視点から見ると、戦前の日本の大衆は支配者の意のままであったと思う。国が戦うといえばそれに従う。アメリカに対し「鬼畜米英」と叫ぶ。朝鮮や中国に対して「大東亜共栄圏」の思想を押しつけ、「天皇陛下万歳！」と叫んで国民（大衆）が一丸となって戦争に進んでいく。大衆はリーダーの思うがままになってしまっていた。「教団の教えに間違いはない」と信じて地下鉄サリン事件を起こした、オウム真理教と全く同じ構図なのだ。

だから私達は「大衆」であることをやめて「市民」となり、今の権力者と対峙しなければならない。そうしないとリーダーが日本国憲法を改悪し、自衛隊を軍隊にし徴兵制を敷き、市民権を剥奪し、戦争へと突き進むだろう。そういう暗黒の日本にしないためには「大衆」ではなく「市民」として、子供や孫のために現政権を打ち破らなくてはならない。そうでなければ将来の日本は戦前の姿に逆戻りするばかりか、ナチズムに汚染されたドイツのようになるであろう。

２０１８年８月10日

大衆の罪

戦前の日本を考えてみる。

日本は何故、第二次世界大戦を引き起こしてしまったのだろう。軍部が政権を握り、天皇を現人神（あらひとがみ）と称して絶対化し、それに抗う者は全て非国民扱いし、逮捕、拷問、殺害した。一般大衆には天皇陛下万歳、天皇に命を捧げよう、天皇陛下のために朝鮮、中国、東南アジアを征服しよう、出兵しよう、アメリカと闘おう……と、勇ましい言葉で鼓舞して戦争へと駆り立てた。全国民が一丸となって、戦争に邁進した。まさに、天皇（リーダー）〜軍部（側近）〜国家官僚（エリート）〜国民（大衆）と一体になって盲進し、猛進したのだった。それに異を唱えるものは逆賊といわれ、大衆のリンチに遭った。

小さな組織でも同じようなことが起きる。オウム真理教がそうだ。麻原彰晃が教祖となり、その教えを絶対視して側近〜エリートを作り、信者と一体的な存在として全体を動かしたのだ。動かされた信者は罪に問われないのか？　当然、罪に問われよう。信者が間違った指導者の言いなりになったという罪である。決着がついた時点で指導者と実行者は罪に問われるが、信者は罪に問われない。しかし、根源的な意味において殺した側に同意したことで、罪ある人といわねばならない。

別の角度から見てみよう。安倍政権が４割もの支持を集めているという事だ。森友学園の８億円の値引き、加計学園の認可に絡む不正問題、西日本豪雨への無対応、年金減額など福祉の切り捨て等々、国民を愚ろうし、国民に対し嘘つき放題のこの安倍首相なのに、何故、国民の多くが支持し続けるのであろうか？　これは、国民の側に問題があるという視点を持つことが大事ではないのか？

ナチスがなぜあれ程、圧倒的に国民に支持されたのか。ヒトラーに強いカリスマがあったといえば、確かにそうであろう。しかし、それに簡単に乗せられる国民側にも問題があったことは確かだろう。ドイツからの亡命を強いられたユダヤ人のハンナ・アーレントは、その点を次のように鋭く指摘している。

「一般大衆の多くは、政治的・公的問題に無関心であり、その根なし草の大衆がカリスマを作り出し、嘘の世界を作り出し、リーダーに易々と騙される。政治的・公的問題に関心のある市民は、その大衆によって弾き出されてしまう。嘘の世界で大衆を騙したリーダーは、ヒエラルキーの中で自分たちの嘘の世界

を強固に作り出してしまう。ひと括りの指導者に罪を塗りつけるのではなく、一人一人がなぜそうしたのかを考えてほしい。市民は大衆になってはいけない。一市民として、今生きている環境を考えてほしい」と。

彼女は更に、自分と同じく迫害されたユダヤ人の中にも、ナチスに協力した人達がいたことを明らかにしている。「ユダヤ人だからユダヤ人は全て被害者であるという考えは間違っている。ユダヤ人にも間違った人間がいる、決して同一視するな。一個人として糾弾すべきものは糾弾しないといけない」とも。それらを「全体主義の起源」という本で述べた。途端に、彼女はユダヤ社会から総スカンを食らった。「お前はユダヤ人を裏切っている、とんでもない奴だ。ナチスを擁護する女だ。ユダヤ人の風上にも置けない」と。

しかし、それらの批判にハンナ・アーレントは断固として屈しなかった。「本当の悪は、平凡な人間（大衆）が行う悪である」といって引き下がらなかった。私はこの指摘に同意する。

私は、安倍政権を支持した大衆こそ、ハンナがいう「平凡な人間」であるといいたい。彼らこそが本当の悪なのだから……。

2018年夏

杉田水脈衆議院議員と相模原事件

自由民主党の杉田水脈（みお）議員は、2018年の7月に休刊となった『新潮45』の8月号で、性的マイノリティであるLGBTに関して「LGBTのカップルのために税金を使うことに賛同が得られるものでしょうか。彼ら彼女らは子供を作らない、つまり『生産性』がないのです」と書きました。このコラムを見たときに私は「相模原事件」を真っ先に思い起こしました。

19名もの知的障がい者を殺した植松聖は、当時の大島衆議院議長に「私は障害者総勢470名を抹殺することができます。障害者は不幸を作ることしかできません。障害者を殺すことは不幸を最大まで抑えることができます。私が人類の為にできることを真剣に考えた答えでございます」と記した手紙を送り、その後、犯行に及びました。

杉田議員の「生産性がない」と植松聖の「障害者は不幸を作ることしかできません」という論理が、私にはどこかでつながっているように思えたのです。LGBTの人達を「生産性がない」というのであれば、病気や障がいを持って働けない人や高齢者も「生産性がない」となってしまいます。これらの人達を守るのではなく、税金を使わずに見殺しにしなさいと言っているようなものです。これがマスコミで報道され、賛否両論で大騒ぎになりました。

植松聖のいう「障害者は不幸を作るしかない存在」という認識と、杉田水脈のいう「ＬＧＢＴは生産性がない」という意見には、「障害者はいらない存在だ」という点が共通していると思えるのです。

私が驚いたのは、杉田議員が糾弾されたのちも、議員として居座り続けていることです。多くの自民党議員や保守的な人たちに守られて……。

杉田議員は、櫻井よし子や安倍首相、萩生田光一議員らの後押しで、２０１７年の衆議院議員総選挙で当選しました。右翼の会ともいえる『新しい歴史教科書をつくる会』（日本会議）の理事を務め、憲法改正、原発賛成、普天間基地移設賛成、日本軍の慰安婦強制連行を認めないなど、一貫して安倍の右翼政策に共鳴し、自民党内でも右寄りの思想を持ち続けている人です。このように、杉田議員と相模原事件を起こした植松聖には共通した思想性があるのです。そして、この思想性が自民党内部にも安倍政権にも流れていることを憂えなければなりません。

私達は「障がい」を持っている人を守ることを仕事にしています。役に立たない人間として差別する側には立っていません。こういう差別偏見主義者の横行を許さない社会にしていきましょう。未来のために……。

２０１８年秋

障がい者が「利用」される社会

今年もあと1ヶ月半。一年の短さに驚かされます。

役所の障がい者雇用の不正水増しが、国では3，700人、地方では3，800人合わせて7，500人に上ります。何とあろう、裁判所でも300人いるのです。企業には障がい者雇用を義務付けながら、それを指示した役所が平気で水増ししているこの体たらく！　許せませんね。役所で働く障がい者の給与はどうなのでしょうか？　簡単にまとめました。「M」は月給、「h」は時給です。

一般では　就労支援Aで働く方　66，412円／M　754円／h

　　　　　就労支援Bで働く方　14，838円／M　187円／h

役所の障がい者雇用では　身体障がい者　254，000円／M

　　　　　　　　　　　　知的障がい者　118，000円／M

　　　　　　　　　　　　精神障がい者　129，000円／M

　　　　　　　　　　　　健常者　　　　264，000円／M

となっています。知的、精神で働くと、やっぱり差別されています。ある統合失調症の患者さんが、雑誌に「障がい者雇用」ではなく「障がい者利用」が今の社会だと看破していました。

12月9日（日）13時～16時20分に中央市民会館で「共に働く街づくり—国・地自体の障がい者雇用施策の現状とこれから—」と題して講演会が行われます。私もパネラーとして出席することになりました。是非、皆さんも御参加下さい。

２０１８年11月15日

数に押し切られたままで良いのか

安倍政権をこのままのさばらせておくと、日本の来年は多難の年になりそうです。２／３以上の議席を持っているので、充分な国会討論をせず、数で押し切って反動法案を可決しまくっています。仏のシャンゼリゼ通りのデモは、見事にマクロンを追い詰めました。それと同じようなデモを、銀座あたりでもやってほしい状況であります。

２０１８年12月13日

アメリカの残虐史―その①

これから数回にわたり、アメリカの残虐な歴史について、私達が余り知らないことを書きたいと思う。これを見れば、当時のトランプ政権の性質、そしてなぜ安倍がトランプのポチになっているのかがよくわかると思う。さらに私達がこれから何を目指せばよいのかも、少しは理解できるだろう。

アメリカ大陸は、スペイン女王の承諾を得て大航海に漕ぎ出した奴隷商人のコロンブスが、1492年に発見した土地である。毎年10月の第二月曜日は「コロンブス・デイ」として、コロンブスの上陸を記念する日とされているが、これは同時に先住民であるインディアンの虐殺が始められた日としても記憶されており、全米でインディアンの抗議活動が行われる日でもある。

その後の長い間、アメリカは英国の流刑地として使われ、多くの囚人たちが流される場所だった。しかし18世紀になると、アメリカの地で生まれ育った移民の子……アメリカ人たちは、母なる土地を流刑地としてのみ扱ってきた英国への反発を強めていった。そしてジョージ・ワシントンを総司令官とする軍隊を組織して蜂起し、英国に対して独立戦争を戦うことになった。そして1789年、移民たちが勝利し、ジョージ・ワシントンが初代アメリカ大統領に就任した。

19世紀になるとモンロー主義の時代となり「アメリカ大陸は合衆国の縄張りである」という、アメリカと欧州の相互不干渉を唱える「モンロー宣言」を発表。同時に先住民（インディアン）掃討が激しくなる時代となった。

1830年、ジャクソン大統領（7代目）は「インディアンは白人と共存しない野蛮人で、劣等民族である。インディアンは滅ぼされるべきである」と議会で演説した。これに対してインディアンは抵抗を示し、チェロキー族等が戦うも敗れ、インディアンは徒歩で大陸横断をさせられる罰を負わされた。道中、老婆であっても容赦なく重い荷物を背負わされ歩かせられたので、この街道は「涙の道」といわれた。同時期に産業革命が興り、アメリカは資本主義社会への道を邁進していく。

アメリカは欧州からの移民によって、先住民のインディアンを滅して始まった移民国家である。

2018年12月14日

アメリカの残虐史—その②

アメリカは前回書いたように欧州からの移民によって作られた国で、先住民のインディアンを滅し、1789年ジョージ・ワシントンを初代大統領として成立した。

1800年代、ミシシッピー川以西のルイジアナの農作物を巡って、イギリスとフランスは戦争状態にあった。イギリスはこの争いに勝利したが、次にはアメリカと喧嘩になり、1812年に米英戦争が始まった。1815年に停戦となるが、アメリカは欧州との相互不干渉を唱える「モンロー主義」に舵を切り、フロリダからルイジアナ、メキシコからカリフォルニアにわたる地域を獲得した。この時、フロンティア・スピリットにあふれた人々がインディアンを虐殺しながら西部を目指して移動した。これが現在まで続く「アメリカン・ドリーム」の原点であった。

アメリカは西へと領土を拡大していったが、南部では大規模農業を支える基盤として奴隷制度が不可欠であったし、北部では重工業における労働力として大量の黒人を必要としていた。その利害の対立が南北間の緊張を生み、1861年3月にエイブラハム・リンカーンが大統領に就任すると、直後に南北戦争が始まった。リンカーンは1863年に北部の資本家から喜ばれる「奴隷解放宣言」を発表、1865年には北軍勝利で戦争が終結し、アメリカは再び統一された。

リンカーンは、西部との往来を強化するため、南北戦争中から大陸横断鉄道を作ろうとしたが、インディアン、食い詰め者の白人労働者、ギャングなどの抵抗に遭い、まさに西部劇さながらの争いが頻発した。バッファローはインディアンの生活の糧であったが、鉄道建設工事の邪魔だと大量に殺され、4，000万頭いたものが1，000頭にまで数を減らした。

インディアンは生活の場を失ってしまうが、あきらめずに米軍との闘いをその後も続けた。それは20年間もの長きにわたったが、最後はアパッチ族のジェロニモの投降と、ウーンデッド・ニーの虐殺を機に敗北した。

数年後の1869年、大陸横断鉄道が完成し、アメリカは実質的にも1つの国土となった。インディアンを滅ぼし、黒人を差別する、統一白人社会の誕生であった。

2019年2月8日

LINCOLN

アメリカの残虐史――その③

前回・前々回では、移民国家であるアメリカが、合衆国となってからも他民族を殺戮・排除しながら拡大していった経緯を書いてきた。今回は19世紀から20世紀に入り、帝国主義国家となり、現在に至るまでの残虐極まりない歴史を書いてみよう。

モンロー主義をとって今のトランプのように自国第一主義となり、インディアンを制圧したアメリカは、１８９０年代以降の帝国主義時代になると、周辺他国の制圧に向かった。メキシコから南米諸国へ向かい、ハワイを落とし、東南アジアにまで行きグアムなどを植民地化した。そうこうしている間に第一次世界大戦が勃発。当初、アメリカは中立の立場をとっていたが、戦況を見て連合国側についた。その結果、戦場とならなかったアメリカは、疲弊したヨーロッパに経済的援助と称して物資を送り、戦争特需で潤い、ドイツにはワイマール憲法を押し付けて、世界のトップに立った。

しかしアメリカ国内で労働運動が活発になり、ソ連での共産主義革命の成功もあって、労働者への弾圧を強めるためにＦＢＩを創設、国内の左翼化を防いだ。

一方、次の目標として中国の制圧が設定された。しかし１９２９年に突如世界大恐慌が吹き荒れると、活発化した国内の労働運動を「共産化を防ぐ」という口実で弾圧し、押さえ込んだ。ドイツではヒトラーが登場し、第一次世界大戦で受けたダメージを回復すべく、ナチスによって国内を統一。フランス、イギリス等と戦うことになった。第二次世界大戦の勃発である。アメリカは、これまた中立を装い当初は参戦せず、ナチスとも貿易をし、東南アジア、中国への進出も考えていた。しかし日本の真珠湾攻撃を機に連合軍に加わり、日本に焼夷弾と原爆を落として一般市民を虐殺した。

大戦後のアメリカは朝鮮、ベトナム、イラク、アフガニスタンと戦争を続ける軍産複合体となった。この体制は、今後も続けていくものと見られる。また日本に対しては、独立国として認めながら日米安保条約によって半植民地化することに成功し、安倍傀儡政権を通してアメリカの属国としてきた。

以上に書いたように、アメリカはヨーロッパの白人による移民国家であり、先住民のインディアンを虐殺し、イギリスとも戦争をし、西へ西へと勢力を伸ばし領土を拡げ、第一次・第二次世界大戦で世界のトップの資本主義国家となった。その後もソ連や中国をはじめとする共産圏各国、朝鮮、アラブの戦争に加担し、膨張し続けている。恐るべき帝国主義国家である。

今後の日本のあるべき姿は、アメリカへの経済的従属をなくし、日米安保条約を破棄し、コスタリカとともに憲法九条第2項を守り、軍備を撤廃し、真の独立国となることである。そうすれば、必ずやアメリカの軍産複合体による世界戦略を打ち破ることができる。その方向を目指すべきである。

２０１９年４月12日

孤独な子どもたち

長い〜長い梅雨ですね。7月だというのに、寒さも幾分伴いました。しかし、それも今週だけ。来週には梅雨が明け、猛暑が襲ってきます。

若者は期末テストが終わり、待ちに待った夏休みです。海に山に家族や友達と出掛けよう！　若さを爆発させよう！　そんな時代もありました。今は？　私にはそんな風に思えません。若者に活気が見られません。少子化で子供が一人、子供を連れて海へ出かける家族も少なくなりました。学校で友達を作って遊ぶ子もあまり見かけません。子供の孤立が多くなっています。スマホをいじりながら、一人で歩いている子を多く目にします。彼らは政治にも無関心で、18歳から選挙に行けるのに、投票率は最低です。

昨日の新聞を見ていたら「未成年の自殺率、最悪に」と大きく報道されていました。19歳以下の未成年の自殺死亡率は2.8と、1978年の統計開始以来、最悪の数値になりました。自殺者の総数は9年連続で減少しているのに、ここ20年、19歳以下の未成年の自殺は減らないのです。動機としては、学校の問題（学業不振、進路の悩み、友達との不和等）が1位で、健康問題、家庭問題と続きます。若者の死因では、いつも自殺がトップです。この統計から推測すると、生活上の諸問題で行き場を見失っている若者たちが、20年間同じように悩み続けてきていることが推測されます。まさに「若者の孤独化」といえるでしょう。

2019年7月18日

精神障がい者を政治に

7月に行われた参院選は、やはり保守の辛勝でした。しかし、今迄には見られない画期的なことが起こりました。それは「れいわ新選組」から2名の重度の障がい者が当選したことです。国民も捨てたものではなかった。

メディアで、選挙前には殆ど報道されなかった山本太郎氏率いるこの「れいわ新選組」が、比例区特定枠で筋委縮性側索硬化症の舩後氏と、脳性麻痺の木村氏が当選、また党全体で228万票を獲得し、比例の投票率の2％を獲得したことで、政党として扱われることになりました。これにはあっと驚きました。なんと素晴らしいことをしたんだという感嘆の思いです。自分は「差別撤廃、差別撤廃と」単に大声で叫んでいただけではないか！　という自責の念と、政治の場に障がい者を登場させ、自らの問題を堂々と社会に訴え働きかけていく、山本氏の発想の素晴らしさに打たれました。

私は『くお～れの風』（越谷市の精神医療福祉を考える会）に所属し、行政に対し障がい者への生活を保障する手当を支給するような活動等をしており、一定の成果を上げてきました。しかし、このれいわ新選組の活動を見て、障がい者も代議士や県議会議員、市議会議員となって自分たちの問題も含め、福祉や健康などの地域の諸問題を政治家として解決していくという発想はありませんでした。「障がい者を政治に!!」これが、障がい者が使いものにならないと言い放った植松聖（相模原市の津久井やまゆり園で19人も殺した人）などを打ち破る新しい視点になると考えます。

　障がい者の視点で政治を変える、社会を変える大きな力になると思います。『くお～れの風』もその視点で東部地域の障がい者を団結させ、自分たちの

代表を市や県や国に送り込もう。そういう運動をこれから作り出そうと思いました。

２０１９年８月

台風被害に行政はお先真っ暗

やっと涼しくなってきました。９月は、梅雨時よりも雨が多いのです。今度の連休も雨になりそうです。千葉の台風後の状況は酷すぎますね。県や国の対応は後手後手に回っていて、災害に対応しきれていません。停電もそうですが、断水が続けば日常生活はやっていけませんよね。家庭も悲惨ですが、工場や会社もストップしてしまうでしょう。国は局地激甚災害の指定を早急に行い、救済を果たすべきです。能無しの森田知事や安倍では、そんな法律があることすらわからないのでしょうね。先行きが暗いことです。

病院はやや入院患者数が減っています。そういう周期なのでしょうが、努力はしているので様子を見ましょう。患者さんや家族は、医師も看護師もとても優しいといってくれています。その優しさを堅持していきましょう。

２０１９年９月19日

現場を見よ、真実はそこにある

台風19号は凄まじかった。千葉を襲った15号に続いての大規模災害。安倍政権の見通しの甘さ、対策のずさんさが顕著に表れていた。全く深刻に考えていないから、１００名弱の死者、家屋倒壊、停電、断水が起こったのだ。許しがたい。国会でまやかしの答弁をしている場合か！　まず現地に行って被災地を見てこいと言いたい。

２０１９年10月17日

恐るべき排外主義

たまたま２０１８年６月24日の東京新聞を見ていたら、そこに驚くべきことが載っていた。

靖国神社の外苑で抗議活動をしていた香港の方２名が、昨年12月12日（南京事件の前日）、逮捕されたことである。ちなみに南京事件とは１９３７年12月に日本軍が南京市に押し入り、30万人もの敗残兵や市民を虐殺したことである。靖国神社は戦争時の戦犯らが祀られている神社であり、それに中国人として抗議していただけである。ただ通路でビラ配りなどをしていただけなのに、検察はそれを建造物侵入罪で起訴し、証拠隠滅の恐れとの口実で今なお10ヶ月も未決勾留をしている。検察は不当な懲役1年10ヶ月を求刑し10月10日東京地裁で判決が出る。しかも、この不当逮捕を容認し、保釈を認めず長期勾留を強いている裁判所にも大きな問題がある。こんなことは許されない。この右寄りで破廉恥な司法全体を糾弾していく市民の抗議が、広がることを求める。

2019年10月

新年の抱負

2020年がスタート、明日は新年会。このタイミングで、私の抱負を述べます。今年のスタートは、まず第一に合同会議を「ちひろ会議」と名称変更し、ちひろ会議の実行委員会を患者さん、家族、スタッフで作り、第1回の集会を2月にスタートさせるところからです。この会議で、実行委員のメンバーをスタッフの中から選びます。

第二に、大熊一夫氏の講演会と映画「精神病院のない社会」の上映会を開催します。

第三に、大熊一夫氏と患者さん、もしくは「くお～れの風」メンバーと、れいわ新選組の山本太郎代表との面会を実現します。

第四に、山本太郎代表の合意が得られれば、患者さんから国会、地方議員の立候補者を選び、選挙に打って出ます。

これらを目標に力を注いでいきたいと考えています。

2020年1月16日

国のコロナ対策に騙されるな！

今、新型コロナウイルスは世界的問題となっています。病気の蔓延はもちろん、それに伴う経済と生活上の問題が問われている状況です。蔓延を防ぐ手立てとして、政府はマスクの使用や外出を控えるなどの対策を呼びかけていますが、生活の保障には乏しいと言わざるを得ません。会社は休眠状態となり、社員の首切り、不採用が始まる、会社が潰れ大量の失業者が出る等々、大混乱になることが考えられます。しかし、いつコロナが収束するかは分かりません。

世界各地も戦争をするどころではありません。世界中はコロナ戦争という事態に陥っているのです。感染者への差別が生まれ、高齢者や重篤な人は治療しない、感染者はまとめて施設に送り隔離しておく……といったことが起こるでしょう。今、世界では8億人の人たちが飢餓に苦しんでおり、そのうち2億人は子供たちです。彼らへの援助もなくなり、彼らは放棄されてしまうかもしれません。

しかし、コロナは必ず収束します。

現在、予防策として外出自粛が勧められていますが、国民への要求だけで、政府が大騒ぎする程には、殆どの国民はそれに踊らされずに普通の生活を送っています。政府は消費税の減税とか、ＰＣＲ検査の規模を大幅に拡大するとか、ワクチンを大量に作るとか、対策をキチンとやるべきです。

それに25兆円程度の対策費などとケチな数字を出さずに、４７９兆円もある内部留保金の半分でも吐き出せば、雇用を守り、資金繰りの危機を乗り越えることができるのです。中小企業、そこで働く労働者、フリーランスを第一に考えて、大規模な援助をするべきです。そうしないのは、このコロナ危機を利用して、自分たち（自民党）の努力でコロナ危機を乗り切ったと宣伝し、ゆくゆくは憲法改悪をし、アメリカと共同する軍事国家にしていくことを、安倍は目論んでいるからです。コロナで苦しんでいるというのに、オリンピックなどやるべきではありません。

私たちは騙されてはいけません。この危機を利用し、国民の生活を守る方向にお金を出さない安倍政権を糾弾し、自分たちの生活を守る方向に舵を取りましょう。

２０２０年４月

国民は怒りを忘れてしまったのか

梅雨が終わろうとしているのに、熊本を中心とする北九州から島根、広島へと線状降水帯による大雨。それに加えて、東京を中心としたコロナの拡大に、日本は襲われています。それなのに、安倍は「Ｇｏ Ｔｏ キャンペーン」に１兆７千億もかけ、旅を楽しもう！ と国民に呼びかけている。そんな予算は、豪雨の被災地や医療現場に回せばいいのに、何をやっているのか。国民は怒れ!!

「くお〜れの風」は赤字続き、事務所も持てない。それでも大熊一夫氏を呼んで「精神病院のない社会」の上映会と講演を行う。

病院は、地域の評判も良く、盛り返している。良い評判は職員の優しさにある。これを続けよう。

２０２０年７月16日

コロナと猛暑の夏

コロナが続き、それに加えて猛暑、今や大変な夏を迎えています。9月10月になると台風がやってきます。去年の10月、病地学会があって、手塚Dr、佐々木Ns、廣嶋Wrとともに沖縄に行った時のことを思い出します。あの時、関東には台風19号が上陸して大きな被害もたらし、羽田空港が使えず、数日間にわたって沖縄を出られませんでした。

安倍は国会も開かず、Go To トラベルとかでコロナを拡げてのうのうとしています。顔色が悪いので、もしかして病気かもしれません。早く首相を辞めて、代替わりするべきでしょう。ナイジェリアの惨事もあって、世界も大変です。

「くお～れの風」は赤字ながら、トリエステに事務所を持ち、活発に活動を展開しようとしています。今、会員・準会員を募集しています。入会し、この地域の精神医療、福祉を充実させましょう。

2020年8月20日

新自由主義の恐怖

新自由主義とは、ミルトン・フリードマンという経済学者が提唱し、サッチャー（英国）、レーガン（米国）、中曽根康弘らが取り入れた政策です。その定義は、市場への国家の参入を最小限にする、即ち小さな政府を推進し、民営化、規制緩和などを目指す思想です。

いかにも良いことのように見えますが、政府を小さくするということは、公務員を減らし、公共事業は民営化する、ということになります。となると、企業の活動を行政がコントロールしなくなり、経営者による労働者の抑圧につながります。例えば、小泉政権の労働者派遣法の改悪では、非正規労働者が多くなり、ワーキングプアが生まれました。国家が行うべき、生活保護、年金制度、義務教育、各種補助金などのセーフティネットを削減し、自己責任で個人が負担すべきものとする方針を推し進めるとどうなるでしょうか。貧しい人や社会的立場の弱い人は、自分の責任でそうなったのだから仕方がないよ、と国家が助けることを投げ出してしまい、福祉政策の削減、後退が当然となります。

企業は好きなだけ金儲けができます。億万長者（1，200億円以上を持つ金持ち）の総資産が約230兆円増える一方、ネットカフェ難民、非正規労働者、フリーランス、ひとり親世帯が増え、貧困化が進みます。その結果が格差の拡大です。コロナの蔓延に対しても、1990年に850箇所あった保健所が、2019年には472箇所に半減していたために、感染者のPCR検査を増やせず、感染の拡大を招いています。

今や日本も世界もこの恐ろしい新自由主義の時代です。安倍政権は今これを進めています。一刻も早く現政権を倒し、新しい社会主義を持つ政権に変えなければなりません。私たちは目覚めましょう。

2020年8月

政治はさらに悪い方へと

安倍から菅へ、政治は予想通り、より一層悪い方へと向かっている。

その象徴的な出来事は、学術会議任命拒否である。今迄、学術会議のメンバーは、会議の中で決められていた。その人事に政府は口をはさむことはなかった。だが今や国は堂々と、その人事に口を出してきて、政府方針に異議を唱える6人の任命を拒否した。国会で拒否の理由を問われても「総合的、俯瞰的な活動の確保」という

だけで、具体的な理由はいわない。追及すると「人事に関することなので答えない」と開き直る。任命権は国家にあるのだから、それに従えと強気一点張り。如何なる正当な反論にも、「政府が黒だといっているのだから、黒なのだ」と押し切る。

もしも今、戦争が起こったら、「敵基地攻撃も集団的自衛権の範疇だから、これは戦争ではなく自衛権の行使である」と言うだろう。憲法九条もどこへやら。ワイマール憲法を骨抜きにした、ヒトラーもどきの独裁的強権的政治である。

コロナも大事だが、それ以上に現在の暴圧政治を防がなければならない。今やらないと日本はナチスドイツと同じ運命をたどることになる。

２０２０年11月

日本学術会議の任命拒否について

日本学術会議は、敗戦の4年後に政府から独立した国の機関として設立されました。目的は「わが国の平和的復興、人類社会の福祉に貢献し、世界の学会と提携して学術の進歩に寄与すること」とされています。会員は政府が選ぶのではなく、現会員が次の会員を選び、政府が任命することとされています。

今回は、そうして選ばれた会員のうち6名の任命を、政府が拒否しました。「任命する側が、拒否できるのは当然だろう」という理屈のようです。任命を拒否された6名は、いつも政府の方針に反対意見を多く言ってきた人たちで占められています。それまでは、推薦された人たちすべてを任命してきたのに、今回は初めて政府が干渉してきたのです。

その直前にも、政府は同じようなことをしています。安倍前首相が今年の1月に黒川検事長の定年を半年間延長することを閣議決定したことです。これは、検事長も政府の方針に従う者を選びたかったからです。このやり方を拡大すれば、裁判官も「任命拒否権がある」という理屈から、政府の意向に沿わない人を拒否できることになります。

しかし現行のルールでは検事長は政府が任命できるのですが、検察官は首相をも疑獄事件などで起訴できる存在です。政府から任命されていても、政府を訴える権利を持っています。つまり政府は検事長の任命権を持ちつつも、司法において検察は実質的に独立して存在し、機能しています。

日本学術会議も同様で、任命権は政府にあっても、会議の活動そのものは政府の思い通りにはできない、独立した組織です。これを許すと戦前の日本のように、司法も学問も国の言いなりになります。政府は戦前のような、政府の言いなりになる国作りをしたいのです。この学術会議の任命拒否は、いよいよ、そのスタートに踏み込んだと考えるべきです。憲法改悪を目指す今の政府、自民党はその道に誘導しようとしています。私たちは断じて、その道に戻ることを許すわけにはいきません。阻止しましょう!!

2020年12月

良い知らせのない、正月

寒さが厳しい。そしてコロナパニック。

菅首相は、施政方針演説で下を向いてメモの棒読み、その上、読み間違い、野党の質問にまともに答えられない。

北日本や北陸は大雪、高速道路で車が立ち往生し、1，000人以上の人が車の中で過ごした。寒さの中でトイレはどうするのだろう？　暖房は？　ガス欠にもなるのではないか？

正月だというのに、良いニュースはない。コロナ恐怖症で、国民のほとんどが家の中にひきこもる。オリンピックも……この状況では開かれないだろう。しかしガースーも森元首相も、中止するとは言わない。いずれにしても秋の総選挙で自民は大敗、野党が共闘して勝利するだろうが、まだ日本をどうするか、考えていないだろう。格差是正の手段くらい、今から考えておいてもいいのでは。

2021年1月21日

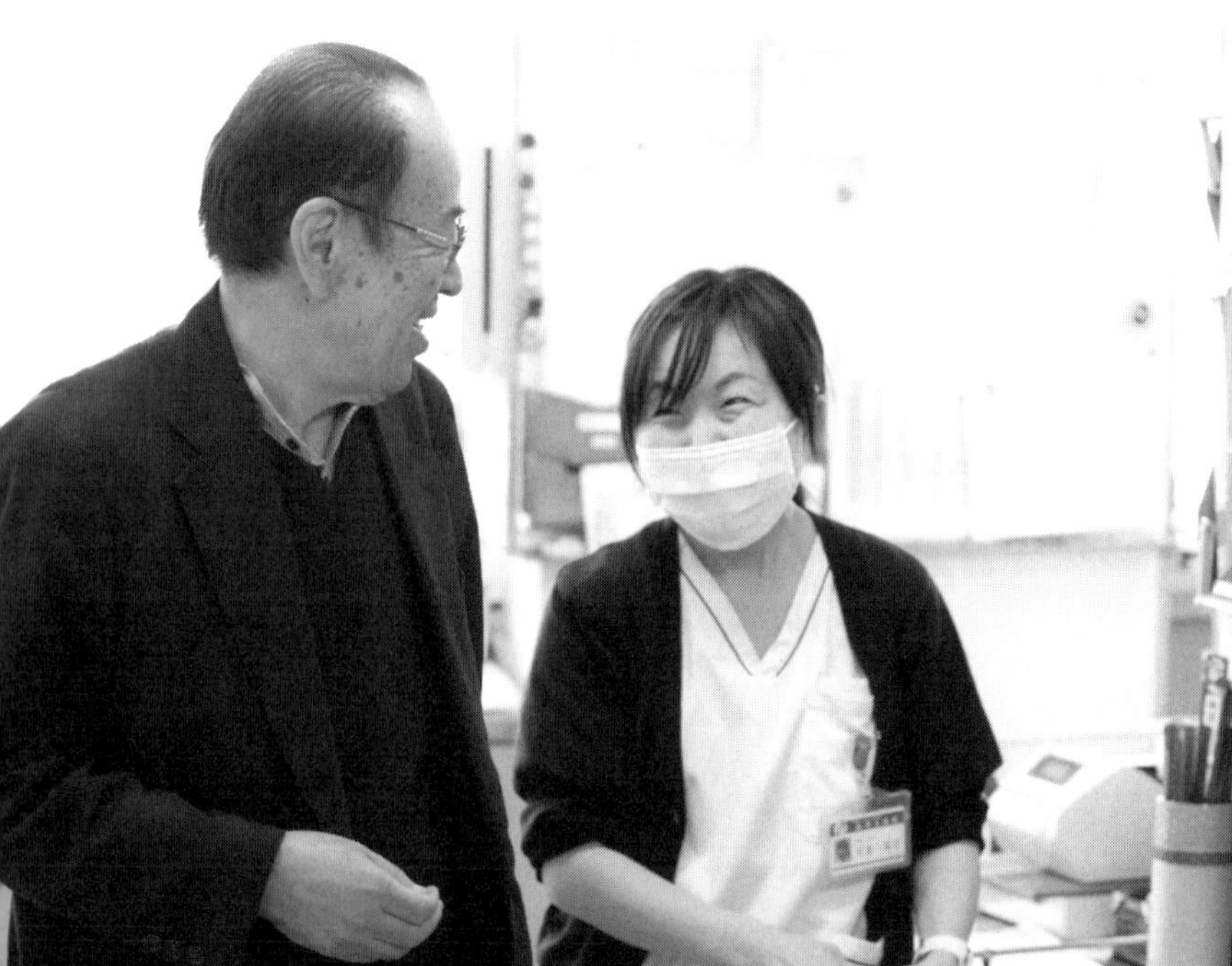

入管制度の真実を見た

5月18日、入管法改悪案が廃案となった。3月に名古屋出入国在留管理局に収容されていたスリランカ人のウィシュマ・サンダマリさんが亡くなったことへの真相解明を求める野党の要求に、与党は抗し切れなかったからである。ウィシュマさんの遺族が来日して、なぜ衰弱しているのに必要な治療を行わなかったのかなどと、入管当局に問い合わせた。すると入管側は「仮病だと思った」などと妙な理屈を並べ、結局何の対処もしていなかった事実がわかった。

それと並行して入管法の改悪案を菅たちが出してきたのが、現入管法をさらに劣悪にする内容であることがわかった。例えば、3回目以降の難民申請者を強制送還させるなどというルールがそうだ。余りに反人道的な入管制度の実態が明らかになり、菅政権は廃案にせざるを得なかった。私は入管制度のひどさと、収容施設の劣悪な実態を知り、怒りに燃えているところだ。この件に対する私の意見については、いずれ何らかの形で明らかにしたいと思っている。

コロナの脅威は続いている。そしてこんな状況なのに、菅はオリンピックを強行しようとしている。強行しても反発を食らうだけだろうに、その反発が楽しみでもある。病院では何とかコロナの発生を未然に喰い止められているが、これは職員一同の努力の結果と思い、感謝しています。

2021年4月15日

もっと政治に関心を

やっと梅雨入りとなった。雷の鳴る梅雨入りも珍しい。

コロナが蔓延し、国会議員の不祥事が多発、国会で議論すべきことが山積みなのに、さっさと国会を閉会させようとしている菅政権、自民党には開いた口が塞がらない。その国会の多数派に投票しているのは、私たち国民なのだから文句は言えないが……。

戦前の日本国民やナチスドイツを生んだのも、国民の熱狂があったからだ。支配者のいう通りにする国民にならないようにしていかないと、これからの日本も憲法改悪から軍備を持つ国になってしまうようで、恐れを感じている。一人ひとりの国民が、政治にもっと関心を持つべきだろう。

コロナで痛めつけられていてオリンピックなどやるべきじゃないのに、国民の70%以上が反対しているのに、政府は強行するつもりらしい。私達国民は、今や政府にナメられ切っている。

２０２１年４月15日

衆議院選挙に思う

10月14日解散、19日公示、31日投開票の衆議院選挙が始まる。9年間続いた安倍、菅政権の後を岸田が継いだ。しかし、安倍、菅が行ってきたアベノミクスは貧富の格差を拡げた。

金持ちの資産は2012年度には6.1兆円だったものが、2021年には4倍の24・6兆円となり、大企業の内部留保金は2012年度の333・5兆円が2020年度には484・3兆円と、100兆円以上も増えている。一方、庶民の実質賃金は396・1万円から373・7万円と、22万円も減っている。

「桜を見る会」問題、日本学術会議の任命拒否など、マスコミが騒ぐのに解明しようともしない。関係した連中は、知らん顔して平然としている。検察の追及も大甘である。国民も、デモで大騒ぎするでもない。うやむやになって、やがて皆が忘れてしまう。図々しい自民党が次の手を打ってくる選挙である。自公が勝てば、それらの疑惑はどっかに飛んで行ってしまう。

ナチスがなぜあれほどまでにヒトラーに支配されたのだろう。第一次世界大戦で敗戦したドイツは、ヴェルサイユ条約で多額の借金を押し付けられ、経済的な苦境にあった。人々はドイツ人としての誇りも失っていた。そこにヒトラーが登場した。「国民の中から生まれた国民は独民族の一員である」「ユダヤ主義は国際的なものであり、独民族ではない」という方針を唱え、その意識を国民に植えつけ、ユダヤ人を徐々に排除していった。その結果がアウシュヴィッツという究極に至るのだが、その過程で国民は単一独民族としての誇りを植えつけられ、ヒトラーの方針に従っていった。そしてヒトラーの思想は強まり、ナチズムとなって、ナチスドイツが生まれた。

このように国民は、時の権力者の策謀により易々と騙されてしまう。戦前の日本もそうであった。権力の中枢である軍から天皇は神であるといわれ、勝てない戦争に駆り出され、反対する者は非国民として処刑された。日本国民もドイツ国民も最終的には権力の言いなりになってしまった。

これらの経験を積んだ筈である国民は、絶えず権力を警戒しなければならない。今でいえば自公政権である。「桜を見る会」をはじめ様々な不正を行ないながら、不正を覆い隠している。今の日本は民主主義社会であるから、反対しても処罰はされない。時の権力者は不正をしても覆い隠して自分を守ろうとする。国民はそれに騙されていく。自民党の横暴を許さない思想性を持って、時の権力に立ち向かう必要がある。時の権力はあらゆる手段で自分たちを守ろうとするから。総選挙があるのだから、今は投票で時の権力の不正に立ち向かうべきである。

これを書いているのは選挙前である。私の予想では、辛勝した自民党が高笑いしているような気がする。野党連合が勝てば、少しは国民も賢くなったと思えるのだが……。

2021年夏

権力になびく国民

朝夕には冷気が感じられるようになりました。今年は秋の感じがなく、ちょっと前まで夏でした。歳をとると春夏秋冬の感じ方も変わるのでしょうかね。

ところで総選挙です。野党は今迄一度もなかった共産党を含めた野党連合で、腐りきった自公と闘うことになります。勝てるかな？　と一時は思いましたが、各種世論調査ではそれでも自公が有利のようです。国民はまだ衣替えが出来ていないようです。自公に任せておいたら、貧富の格差は変わらないままだろうにと思うのですが、変わるのが怖いのですね。一部の政治勢力が権力を持つと、国民を従わせる力が強くなるのか、国民の側から自然発生的に権力になびくようになるのです。世界の歴史を見てもそのようですが、それを打ち破る力を国民は持つべきです。

2021年9月16日

第二章　世界と平和

アフガニスタンの水

病院で産まれた燕は、親鳥が懸命に餌を口移しで食べさせて大きくなり、親鳥のマネをして巣の周りを飛び回るようになった。秋の東南アジアへの巣立ちの準備をしている。

世界や日本を見ると暗いニュースばかりである。唯一希望を持てるのは、中村哲Ｄｒである。しかし彼は２０１９年１２月４日、イスラム武装勢力と思われるグループに、銃で撃たれて亡くなってしまった。

だがアフガニスタンに長期滞在し、戦争で荒れ果てた国と砂漠の中に、川から水を引くべく用水路を何千km も引いて、砂漠に水をもたらし緑地に変える活動は、ペシャワール会によって今も展開している。中村医師はいう、「私は医師だが医師よりも必要なのは水である。水がなければ皆死んでしまう。その水をこのアフガニスタンの砂漠に引き、何百万の人の命を助けることにしたい」と。
中村医師の活動を描いた「アフガニスタン　用水路が運ぶ恵みと平和』というDVDが出ている。これを見て感動した！　私も連帯すべく、2016年にペシャワール会に入会し、2017年10月にはアフガニスタンに行こうとあれこれ準備をしていたのだが、その機会を得られないまま、彼は亡くなってしまった。

2017年6月13日

この国を恥じよ

今度の日曜日は衆議院総選挙である。自公の圧勝となる予想、それだけ国民は保守化している。あきれるというより悲しい。何だろう、この保守化は？　世界中が戦争をやって殺し合いをして、8億にもおよぶ飢餓に苦しむ人達がいても、日本は蚊帳の外で、国内は一応平和であるからだろうか？

現状のままでいい、変える必要はないというのが、国民一般の認識であろう。過去を振り返らず、将来もあまり考えない、今が良ければという。「井の中の蛙　大海を知らず」ではいけない。マスコミや私達は日本からではなく、世界から日本を見ることをするべきであろう。

13年前、高遠菜穂子さんがイラクで人道支援をしているときに武装勢力に拘束された。彼女は「イラク人は、日本には軍隊がないと信じていた。それが、アメリカと一緒になって軍隊を派遣した。イラクを攻撃するのは許せないといわれ、武装勢力に私は拘束された」といっている。帰国後彼女は「そんなところに行く方が悪い」と自己責任のバッシングを受けた。日本も含む有志国連合によるイラクへの空爆で、3，000人以上の人々が命を落としている。その事実を報道せず、そこで困っている人の支援に行った彼女を責めるこの日本を恥じるべきである。

気忙しい季節

2017年10月19日

暮れになると、何がある訳でもないのに何かと気忙しく感じる。例年は暮れになると入院患者数が落ち込むものだが、このところ時代の変化なのか、入院患者数は逆に増えている。

日本は一見平和ですが、世界では至るところで不協和音が響き、諍いが起きています。日本も安倍がトランプのポチに成り下がって、金正恩の目の敵にされています。来年は一体どうなるのでしょう？

2017年12月14日

「井の中の蛙大海を知らず」されど空の青さを知ろう！

明けましてお芽出とう御座います。

さて、この言葉からスタートしたのは、私が今の日本を憂いているからです。日本人は余りに日本中心の考えにとらわれていて、74億人もいる世界を知らず、気にもかけずにいます。マスコミも世界の大きな出来事よりも、日本国内のニュースがメインです。世界のことよりも日本が大事、それは分かりますが、日本だけが良くなればよい、日本の経済、生活水準等が豊かであれば良い。世界が戦争だらけで何千万人が死んでいても、日本に戦争もなく平和であれば良い、という風潮がまかり通っています。政治的な思想が左翼であろうと右翼であろうと、日本中心思想は同じであります。

世界に飢餓に苦しむ人たちが8億人いても、そのことにまったく無頓着であるこ

の考え方を、私はおかしいと思っています。日本から世界を見るのではなく、世界から日本を見る。日本人ではなく世界人として見る視点に転換すべきだと思うのです。

日本から世界を見ると、日本は今のところ平和であって戦争などしている国は不幸で可哀想に映ります。しかし世界から見ると、日本は確かに平和だが、その平和は日本だけのものであって、日本と日本人は世界の不幸に無頓着であるように見えているはずです。

日本の今の平和を生み出しているものは何でしょうか？　それは憲法だと私は思っています。日本は平和憲法を持ち、憲法九条で戦争をしないことを国是としています。

では、世界にもそういう国はあるのでしょうか？　コスタリカがあります。では、コスタリカの現状はどうなのでしょうか？　コスタリカは中南米の小国ですが、周りの国が戦争に踏み切っても、決して戦争に加担していません。他国に侵略もされていません。ならば、コスタリカと日本が協力して、「戦争しない国」を増やしていけばいいのではないでしょうか。日本発の憲法九条を世界に訴えよう、国連に乗り込んで各国に九条をアピールしよう……という発想ができます。

自衛隊の軍備を解除し、自衛隊そのものを国際災害救助隊に再編すれば、軍事費の3兆円弱が浮く計算です。それを世界中の被災者や、苦しんでいる人たちの救済にあてるのです。そういう発想が生まれるでしょう。夢物語のようですが、やればできる事だと思います。そうすることで、日本は日本だけではなく、世界の平和に役立ちます。医療や福祉にそのお金を回し、国内の貧困、格差社会をも改善できるでしょう。世界の貧困だけでなく、日本の貧困の改善にも役立つに違いありません。

世界人としての視点に立てば、日本人として何をすれば良いのかが見えてきます。井戸の中から見上げる狭い空ではなく、青空から俯瞰する広い視点で、世界を見る事ができるでしょう。そうすれば、日本における独りよがりな発想……家族第

一、家族だけ良ければ他人の不幸はどうでも良い、関係ないという、古来の日本人の発想からも解放されるでしょう。確かに家族は大切ですが、他者も大事です。他人の不幸を知りながら見過ごす訳にはいきません。それが習慣づけば、「他人が幸せにならなければ、自分も幸せにはなれない」という考えを、多くの人々が持つことになるでしょう。日本だけでなく世界の平和という考え方に変わるでしょう。井の中の蛙になってはなりません。

２０１８年１月

自殺について

日本における死因の内訳は、２０１６年の統計では１位が10万対比で３００人のガン、２位が１６０人で心疾患。自殺は８位で16・８人です。世界の自殺者は年間

80万人（２０１２年）で、40秒に１人どこかで死んでいる計算になります。その中で、インドが最多で26万人強。中国12万、アメリカ4万、ロシア３万と続く中で、日本は３万人弱で5位です（２０１２年）。自殺率では10万対比18・5人で、世界平均の1.6倍、ワースト6位（ＷＨＯ２０１４年）。１位リトアニアの30・６人、２位韓国の28・５人と比べれば大人しい数値ですが、ワースト6位は安心してよいポジションではありません。特に女性は数は少ないものの、ワースト3位です。

日本に限って推移を見ると、１９９８年に３万人を突破したものの、その後は３万人台で推移していき、２０１１年に３万人を切るまで減少しました。減ってきてはいますが、数だけ見ても、まだまだ世界では上位です。ことに15歳から24歳と若い世代の自殺率は、10万対比で世界1位です。

日本では、１日に１００人ほどが自ら命を絶っています。その理由は何でしょうか。最も多いのは健康問題で、約50％。次に経済・生活問題で18％。三番目が家族問題であり、あとは仕事、男女問題、学校問題と続いています。他に特徴的なのは、若者の自殺率の高さでしょう。15歳から35歳の区分では、なんと死因のトップが自殺です。また自殺者の7割は、40歳以上の中高年の方です。

自殺が多いというのは、その国が生きにくい証拠でしょう。大きな悩みを抱え、自分がどう生きれば良いのか分からなくなり、最終的には死を選んでしまう。中高年の人が自殺者全体の7割を占め、健康問題が最多の理由であることから、一定のパターンが見えてきます。病に冒され、治療・療養が必要なのだけれども、家族を支えなくてはならず、あるいは経済的問題が生じてしまう。結果、生きる意欲を失っていく。

若者の自殺は、まだ性格的に未熟な状況の中でいじめがあり、就職難があり、失恋があり、やはり気持ちの行き場がなくなり死を選んでしまうのでしょう。自殺に至る過程で、90%の方はうつ状態等の精神疾患を呈するともいわれています。

当法人の病院・クリニックにも、そうした悩みを抱えて入院してくる患者さんがたくさんおられます。私たちは彼らに「死なない選択」を提供しなければなりません。治療と称して、この社会の歪んだ様々な事柄に、本質的な生きる道筋を与えることは、至難の業でしょう。精神医療の狭い枠を超える社会、経済、人間関係の大きな壁があるからです。しかしその冷たい壁を打ち破ることは、抗鬱剤等の薬剤投与では実現できません。その悩みに共感しながら、共に打ち破っていく手法を、模索していかなければなりません。ＳＳＲＩ等、抗鬱剤がうつを改善していく途中で、企図に至る事例がたくさん見られるのは、精神症状の改善が自殺を防ぐことにならないことを意味しているのかもしれません。死にたくなることを生きる方向に向かわせるのは、病状改善だけでは無理だということでしょう。共に悩み苦しみを分かって、共に新しい道を見つけていく方向性を与えることが必要なのです。

私が掲げた「自殺防止」という今年の目標は、歪んだこの社会でどう生きていけば良いのかを共有していく道を考えるために出されたものです。亡くなった方が何人か出てしまいましたが、その人達は「それを考えてくれ！」と彼岸から私達に要求していると私は思っています。その思いに、私たちは応えていくべきでしょう。

２０１８年１月

武器よさらば

3月といえば、8年前の3月11日には東日本大震災で約2万人の方々が命を落とし、福島第一原子力発電所事故という人災によって、周辺地域は人が住めない環境になってしまいました。それが現在も続いています。そんなひどい原発なのに、政府は他の原発を存続させています。

さらに遡れば、１９４５年3月10日の東京大空襲では米軍が焼夷弾を落としまくり、10万人以上の老人、女性、子供たちがジェノサイドよろしく殺戮されました。

そんな、世界中で戦争を続けているアメリカと日米安保条約を結び、米国の属国ともいえる屈辱的な形でポチとなり、集団的自衛権と称して武器を買いまくり、憲法を改悪し、アメリカと一緒になって戦争が出来る国にしようとしている。この安倍政権を、国民も大手マスコミも引きずりおろそうとしない現状を、国民は憂うべきでしょう。

日本国憲法は、コスタリカと並ぶ世界の宝です。自衛隊から武器をなくし、自衛隊を災害救助隊に再編し、武器購入費用である2.5兆円を世界の災害救済活動に振り向ければ、世界中から尊敬されるでしょう。その結果、武力を排除する平和な国が増えていくのは間違いありません。世界平和に向けて、それこそが日本人が世界人として認められていく最初の一歩となろう……などと、夢見ている毎日です。

２０１９年３月14日

イスラエルとアラブ諸国の対立

イスラエルは、世界の迷えるユダヤ人たちが、アラブのヨルダン川西岸にユダヤの故郷と称して、1948年にイギリス、アメリカの支援を受け建国されました。そこには多くのアラブ人が住んでいましたが、彼らは400万〜500万人規模の難民として、他の地域へ追い出されてしまいました。アラブ人は、突然舞い降りてきたユダヤ人たちに激怒し、激しい抵抗を示しました。それが何度も起きているのが中東戦争で、ヨルダン川西岸とガザ地区にユダヤ人を入植させ、事実上併合し、今もってアラブ側と衝突を繰り返しています。核を持ち軍事的にも圧倒的な力をもつイスラエルが、アメリカ等の支援もあり、アラブを圧倒しているのが現状です。

私が疑問を持つのは、ユダヤ人はナチスによってアウシュヴィッツ等の強制収容所で600万人も虐殺され、戦争の悲惨さを身をもって味わったのにもかかわらず、アラブ人達を「2本足で歩く獣」と称して、ナチスと同じように虐殺しまくることです。ヒトラーがユダヤ人を人間扱いしないで殺しまくったことと同じ考えで、違和感を持たざるを得ないのです。

アラブ人がこのイスラエルによって故郷を追い出され、家族も殺され、反発して戦うことは当然です。サウジアラビアなど一定のアラブ諸国は経済的つながりからアメリカ寄りの国もありますが、大多数のアラブの人達は、反イスラエル・反米となり、ゲリラ活動やテロによる戦いを実践しています。

しかし、アメリカ、西ヨーロッパ諸国には国内にロスチャイルド家などの財閥があり、政治的、経済的な支配力を持ってイスラエルを応援しています。イスラエルもアメリカも、イラク戦争やアフガニスタン戦争等、反アラブ政策を続けているのです。

日本は、このように非道なアメリカと縁を切り、日米安保条約を破棄し、集団的自衛権などと称するアメリカとの軍事協力を取りやめ、憲法九条第二項を尊重して、武器を持たない国としてコスタリカと協力し、各国が非戦国になるよう国連に働きかけるべきです。そういう政府を作るよう、国民も安倍自民党政権を倒すべきです。

２０１９年夏

国家の横暴

秋はあっという間に過ぎ、冬の寒さが訪れてきました。

なのに、世界は荒れ狂っています。

中でも香港では、中国と傀儡政権の横暴が目に余るほどです。香港の１００万の市民が「逃亡犯条例」（香港での犯罪者を他国に送って他国で裁かれる条例）に反対するデモを行っています。この条例が施行されてしまうと、今迄香港人が持っていた自由な権利の保障、司法の独立など、自治権の重要な部分が失われ、民主化運動などで逮捕された者を他国（特に中国）に引き渡さなくてはならないからです。これに若者が抗議をするのは当然のことです。そこに一般市民も同調し、100万人以上の大規模デモに発展したのです。香港の高裁も、この条例を違憲として撤廃を求めました。しかし中国はこれを無視し、全人代（全国人民代表大会）常務委の決定こそが正しいといい、それに反対することは許されないと傀儡政権を突き上げ、警察権力を使ってまで、デモへの暴力で大弾圧を加えているのが現状です。どこからどう考えても、香港傀儡政権及び中国に理はありません。闘う市民、学生が正しいのです。もともとは「一国二制度」という香港の立場が問題の基にあるのですが……。

日本でも他人事とは思えません。今、沖縄はアメリカと日本政府によって押さえつけられています。米軍基地の70％にも及ぶ辺野古基地を無理やり押し付けられ、沖縄人の反対があっても、建設が強行されています。そこで反対運動がデモという形をとれば、中国－香港の傀儡政権と同様、徹底的に弾圧されます。日本国民はその時、沖縄市民と協働して沖縄の独立運動に加担すべきです。その様な視点を、これからの私達は持つべきでしょう。他人の空事のように思ってはいけません。

２０１９年11月21日

それぞれの場所からの発信

あっという間に今年も終わり。

世界は戦争だらけなのに、日本人はノー天気。その中で中村哲さんは、アフガンで憤死、しかし日本を超えて世界を見ている。「日本だけ幸せになってるんじゃないよ、世界の悲惨さを見なさいよ」と、亡くなった今もなお、日本人に訴え続けているようだ。私はずいぶん前にペシャワール会に入会した。中村哲さんに深く共鳴しているからだ。亡くなってから「こんなすごい人がいたんだ！」とマスコミなどが大騒ぎするが、生前から彼の偉大さを報道すべきだといつも思っていた。東京オリンピックなどで浮かれていないで、そこに使うお金の千分の一でもアフガンの民のために寄付をしていれば、中村哲さんも死なずに済んだろう。何せ国は一銭も彼に寄付をしていなかったのだから。日本の幸せを自慢するんじゃなくて、日本の幸せを売りに出すべきだ。憲法九条を柱にして。……などと、年末を迎えて考えています。

来年になったら、大熊一夫さん（「ルポ精神病棟」を書いた元朝日新聞記者）をオルグして、れいわ新選組党首の山本太郎さんに会い、精神障がい者も政治の舞台に登場させるべきだと訴えていきたいと思っています。精神障がい者は、まだまだ

日本で差別と偏見の目で見られていますが、それを打ち破る政治からの発信も必要だと思うからです。

2019年12月19日

日本の軍事費

日本の2021年度の防衛費は5兆3，422億円となり、7年連続で過去最大を更新した。新型ミサイルや次期戦闘機の開発を進めるためである。世界各国の軍事費では、8番目の予算である。

日本には憲法がある。憲法九条には次のように記されている。

第二章　戦争の放棄

第九条　日本国民は、正義と秩序を基調とする国際平和を誠実に希求し、国権の発動たる戦争と、武力による威嚇又は武力の行使は、国際紛争を解決する手段としては、永久にこれを放棄する。

第二項　前項の目的を達するため、陸海空軍その他の戦力は、これを保持しない。国の交戦権は、これを認めない。

日本の5兆3，422億の防衛費は、この憲法九条に違反していないのか、イージス・アショアを買ったとして？　誰が見てもこの憲法九条に違反しているのは明確である。

２０２０年12月

正義の罪

アフガニスタンから米軍が撤退を進める中、あっという間にタリバンが押し寄せて首都カーブルまでやってきました。マスコミは、これから先、女性が差別され、ブルカを着せられ、厳密にイスラム教を押し付けられ、自由も平和もない国になるだろうと心配しまくっています。

私はペシャワール会の一員です。アフガニスタンで亡くなった中村哲Ｄｒが行ってきた水源確保事業（砂漠に水をやる事業－ヒンドゥークシュ山脈から流れてくる水を、砂漠地帯に流し込む水路を作る事業）に感銘を受けたからです。20世紀末、中村哲Ｄｒはハンセン病の治療のためにアフガニスタンを訪れ、治療を開始しました。が、砂漠地帯で水がなく、それで死んでいく人が沢山いることを知り、医療よりもまず水が必要だとこの用水路作りに邁進したのです。

アフガニスタンは山の国で、山の雪に守られた砂漠の国です。人口は3,893万、8割以上が農民や遊牧民という農業国家、現金のない自給自足の生活、国家の威信は辺境の地までは行き渡っていません。その国にウサーマ・ビン・ラーディンのテロ（3,000人死亡）に激怒したアメリカが、タリバンが彼を渡さないといって攻撃を始めました。空爆に遭った農民や遊牧民は「なぜ爆弾を落とすの！」とアメリカ不信に陥りました。タリバンは倒されたものの、何十万の国民が「正義の国アメリカ」によって殺されたのです。「アフガニスタンに自由と民主主義を」というアメリカはアフガニスタン人にとっては大きな敵となったのです。

そして20年経ちました。2000年の大飢饉で残された農地は枯れ果ててしまい、飢餓のどん底になった国民に、国連もアメリカも何の援助もしません。アフガニスタンのテロ撲滅だけを旗印にして爆撃を続け、今年には何の役にも立たなかったといってさっさと米軍を撤退させたのです。その結果、我慢に我慢をしていたタリバンがあっという間にカーブルを占拠したのです。アフガニスタンの国民に抵抗する者はいなかったのです。カーブルにいた裕福な人のみ脱出しようとしましたが、誰も助けようとしません。好意的であった日本にもアメリカの手先だといって脱出の手助けをする人はいません。唯一、ペシャワール会の活動をしている日本人達には、何の危害も加えておりません。ペシャワール会の活動を、現地の人々の望むことを一緒にしてくれていると評価してくれたのです。戦争を通して「国際貢献である」「民主主義を植え付ける」という西欧のやり方にＮｏを突き付けたのです。やっとアフガニスタン人によるアフガニスタンが生まれます。

しかし、飢えに苦しんでいます。タリバンであろうとなかろうと、食糧援助をしましょう。ペシャワール会を通してでもいいのです。中村哲Ｄｒの思いを届けましょう。

２０２１年８月19日

入管施設の無法はなぜか？

入管は、敗戦のあと在日朝鮮人をどう位置付けるか、どう管理するかから始まった。戦争末期に労働力不足から多くの朝鮮人が日本に強制移動させられ、その数は約200万人にもなった。敗戦後、政府は彼らに母国へ帰ることを推奨したが、朝鮮戦争でかの地の政治的・社会的状況が不安定化し、財産の持ち出しが禁止されたり、日本に生活基盤があったりという理由で在留した朝鮮人も多くいた。

しかし、GHQも日本政府も朝鮮人の権利擁護に消極的で、1947年、外国人登録令を制定し、朝鮮人を外国人とみなすことにした。それは憲法施行の前日に行われ、旧内務省から打ち込まれた最後の法律であり、外国人の出入国管理はGHQを経て外務省管理局の入国管理部としてスタートし、その後、法務省に移管された。在留資格、厳格な外国人管理、自由裁量による強制退去、在留を特別許可にしたり、無期限に入管収容したり、憲法枠外の人権保障のない施策が盛り込まれ現在の入管法に引き継がれていった。在日朝鮮人は、国民の差別意識と共産主義の先導者になりうるとのデマで国籍を与えないという国の思惑もあり、サンフランシスコ平和条約発効の直前に日本国籍を喪失すると通達した。

それからの入管施設は御存じの通り、朝鮮人のみならず他国からの人々にもその対象を拡げ、大村入国管理センターのように「刑期なき獄舎」とも呼ばれ、入管内部のことを外部に漏らさせない秘密主義で現在に至っている。

入管の秘密主義のため、マスコミもあまり取り上げなかったが、スリランカ人女性ウィシュマ・サンダマリさんの死亡を生んだことで、やっと入管の非民主主義的実態が取り沙汰されるようになった。

私達の力で、入管の外国人差別を打ち破りましょう！

2021年10月8日

第三章　日々、思うこと

革命家を知り、腰を曲げる

8月13日、盆の中日に町田まで母、義父、兄、姪等のお墓参りに行く途中、ある店に寄ると立派なスイカがドンと並んでいた。スイカをトントンと叩いて、いい音がするものを見つけ持ち上げた途端に、プシュッと音がし、同時に腰に痛みが走り立てなくなった。えーい、ままよ！　とそのスイカを買って墓守をしている義姉のところへ行き、そのスイカを届けおいしく頂いてきました。帰りの車の運転は、この腰の痛みで大変なものだった。

その翌日は、前売り券を買ってあったゲバラの写真展を鑑賞するべく、恵比寿のガーデンハウスまで行く。革命家として私が尊敬するゲバラは、一方ではカメラマンだったのだ。１９５８年には来日し、広島の原爆ドームに行って写真を撮っていた。写真展の会場で買った本は、ゲバラの革命家とは別の、私生活の一面も明らかにしているものだった。革命家の裏の面を知ることは、それはそれでとても興味深いものがあった。

その翌日は、腰をほぼ直角に曲げて、保護室にいる方や発熱をしている方の様子を見に病院へ行く。5日前に約束していたことなので、これは守らなければ……という一念で病院まで来た。

さらにその翌日が今だ。外来があり、朝から腰を曲げて診察、入院が6名あったか？　そのうちの1名を診て、外来終了後へナへナしながら病棟へ行く。そしてこれを書いている。明日は部長会議があるためだ。明日一日も辛抱していこう！

2017年8月17日

開放化と、理念の実現に向かって

戦後、日本の精神病院は殆どが閉鎖病院で、患者さんを病室に閉じ込め、医療の名のもとにただただ収容する、刑務所と同じ施設でした。患者さんはこうした精神病院の中で、職員の暴行、接見の禁止、電気ショックの刑罰的使用等々、あらゆる自立性をもぎ取られ、酷い扱いを受けてきました。宇都宮病院が余りの酷さのため、昭和58年にマスコミの糾弾を受け、摘発されたことは、当時の精神病院の実状を象徴するできごとといえます。

そのような状況の中、昭和43年に、群馬県太田市にある三枚橋病院の院長である石川信義医師が、日本で初めての全開放病院をスタートさせたのです。当時、個人病院であった当院もその考えに共鳴し、どうすればそのような病院の運営が出来るであろうと、何回も何回も三枚橋病院の見学に行ったものです。三枚橋病院の地下にはディスコがあって、患者さんや家族、職員も一緒になって踊ることができました。そこへ石川院長もやって来て、踊りまくる姿を見て、私達はこの見たこともない風景に心を強く打たれました。そこには束縛ではなく「自由」があったのですから!!

三枚橋病院に続くべきだと私は確信し、当院も全開放病棟作りに取り組み、昭和60年にその体制を作り上げました。埼玉県では初めてのことでしたが、同時期に岡山でも「まきび病院」が名乗りを上げました。開放化の運動は、日本の精神科病院がおちいっていた劣悪な状況の中で、心ある精神医療従事者による小さなスタートを切ったのです。

それから40年近く経ちます。苦難の連続でした。

開放化は地域住民の方々の不安を呼び、反対運動が起こりました。地域の協力が得られず、行政も援助してくれません。精神科病院協会は「あそこは左翼の病院だから、認めないし協会にも入会させない」と嫌がらせをします。開放化するには、多くの人手を要します。人件費が膨らみ、大赤字です。しかし、私の母（瀬戸俊子）は身を削って、助けの手を差し伸べてくれました。法人化をしなければなりません。その時、助けてくれたのが公認会計士であり、長隆事務所の所長だった長隆氏でした。法人化に当たり、内容も揉めました。それらを乗り切り、21年前の平成8年にやっと法人の認可を受け、母俊子の「俊」と私の名「睿」を合わせ、法人名を「俊睿会」と致しました。平成11年には有泉亨治医師の壮大なる協力を得て、有泉の泉（いずみ）を名称に冠した「いずみクリニック」をスタート。さらに「ましもり訪問看護ステーション」を設立し、地域に支えられ、地域に根ざした病院として再スタートを切ったのです。現在は、東川口に「東川口いずみクリニック」を開設し、「グループホームエクボ」を設立。保証人なしでも入居できる共同住宅も作り、「いずみクリニック」は南越谷駅の北口に引越しをして、クリニックの1階には患者さんや家族が無料で相談できる「相談支援所」を開設するなど、当法人の理念に沿った活動を拡大しています。優秀な職員も次々と集まり、この理念の実現に前向きに取り組むようになってきました。

２０１７年夏

ふたつのお願い

法人が出来て、もう23年になるのですね。時間が過ぎるのは恐ろしく早いです。私も76歳になり、物忘れが多くなり、人の名前を憶えられなくなってきました。誰かに道を譲る時が来ていますね。今期の方針に、瀬戸なきあとにどうするか？　も付け加えなければなりませんでした。私の希望だけは申しておきましょう。

１つは「越谷を第二のトリエステに」です。私が生きている間には、これはとても無理でしょうが、イタリアでは1978年に精神科病院を無くしました。精神科医フランコ・バザーリアが中心となり、患者さんは1，000床の県立病院から開放され、トリエステの町中で暮らすことになりました。町には彼らの住みかと6ヶ所の精神保健センター、この状態を支える体制が準備されていて、患者さんは一市民として暮らすことができ、今でもそれが続いています。バザーリアは「自由こそが治療だ」といって、それを実践したのです。

それに比べて日本の精神医療はというと、万対病床数は28と、スウェーデン、イギリス、アメリカ等が1以下なのに比べて抜きんでて多く、逆にいえば地域で暮らしている患者さんが圧倒的に少ないことを証明しています。それにもかかわらず、日本精神科病院協会長（山崎學氏）は、日本の精神医療は世界一だと豪語している有様なのです。トリエステの爪の垢を飲んだらいい。私は、少しでもトリエステに近づけるように、まず地域で暮らせる体制を充実させるため、日常的にさまざまな

活動を展開し、更に11月1日からいずみクリニックの1階に相談支援事業所を開設します。入院せずに地域で暮らすことが出来る体制を少しずつでも作り出し、いずれは「越谷を第二のトリエステに」という夢を追い続けています。この目標は、職員の皆さんにも守っていただきたいと思います。

2つ目は、オープンダイアローグの導入です。フィンランドで始まったオープンダイアローグは「開かれた対話」と訳されており、スタッフも当事者も家族も立場を問わずみんな対等であること、批判せずにただ会話を続けることを原則に、1日1時間ほど、10日間程度続けるのです。その結果、フィンランドでは82%の改善がみられたとのこと、これを日本でもやってみたいと考えています。

現在、日本の精神医療は薬物療法が主軸になっています。ですがオープンダイアローグでは、薬は脇に置かれます。日本の精神科医は薬という毒にすっかり浸かっていますが、私は薬中心の治療に疑問を感じています。幻聴や妄想があっても、普通に暮らせる人はたくさんいます。それを二重見当識といいますが、決して薬で押さえ込むだけでは治療になりません。

北海道の浦河にある「べてるの家」では、「幻聴、妄想大会」というものがあり、自由に幻聴、妄想を語り、一番ユニークで面白いものに賞を与えたりしています。幻聴や妄想が隠すものではなく、自由で語り合えるものになっているのです。そこには差別も偏見もありません。オープンダイアローグで自由に語り合えるというのも、この「べてるの家」の実践活動とどこか共通しているところがあるのでしょうか？

とにかく、まずオープンダイアローグを実践してみようと、今リフレクティングというやり方でスタートしています。今後どうなるか、楽しみにしていて下さい。

法人総会を行うたびに、いつもさまざまな方針を出してきました。ですが、いつか私からの引き継ぎを行ったのちも、この2つだけは維持していただけるよう、患者さん、ご家族、法人の皆さんと次期の代表者にはお願いしたいと思います。

２０１７年秋

恐怖の肺炎騒動

悪魔の1ヶ月であった。10月半ばに風邪をひき、のどの痛み、1日中垂れ流しの鼻水、4～5日して咳が出始め、咳止めなどを時々飲んでいた。大体、私は年に1回、1ヶ月間は風邪をひくのがいつものことなので、基本的には放っておくことにしている。しかし今回は咳がひどく、喘鳴を伴うようになり、少し歩くだけでゼェゼェハァハァと呼吸が苦しくなった。大好きな煙草を吸っても、すぐに咳込んで吸えなくなる。

11日（土）の外来を終えて家に帰ると、大量の下痢、おむつパンツは大汚れ、トイレの中も便だらけ。便掃除していると呼吸がおかしくなり、便の中に倒れこんで立てなくなる。悪戦苦闘してトイレ掃除をし、今度は体の掃除。ふらふらの体で便をシャワーで流し、やっと流し終えて風呂につかるが、呼吸がゼェゼェなのでゆっくり浸かってもいられない。とりあえずはきれいになったので上がり、布団の中へ入る。これで落ち着くかなと思っていたら、翌日には呼吸がおかしくなっていた。

吸う時はいいのだか、吐くときにズーズーという奇妙な音が出て、息が苦しい。これはひどい肺炎だと思い、清松クリニックか獨協かと、診て貰えるところを頭の中で探す。しかし今日は日曜日、どこも休診日である。仕方ない、抗生剤を飲んで我慢しようと決め、1日中どこへも行かず、家の中でじっとしていた。

月曜日はいずみクリニックの外来なので、これだけは休むわけにはいかない。何とか行こうと決めて出かけるが、歩くと呼吸が苦しくなるので、お昼ご飯はヴァリエ迄行かず、近くのパン屋さんのサンドウィッチを食べ、死に顔で外来診察を行う。患者さんたちは、異様な顔つきの私を見て「大丈夫ですか？　無理なさらないで」

と、優しい声を掛けてくれる。スタッフの人達も階段を上がる時に支えてくれたりと、気を遣ってくれる。ニコチン中毒なのでちょっと煙草を吸ってみるが、やっぱりダメだ。咳込んでしまって、すぐに火を消す。悪戦苦闘して家に帰るが、帰ったとたんにダウン。

火曜日は病院に行き、X－Pを撮ろうとするが技師がいない。清水Drに診察してもらうと「左上葉に雑音がありますね」というので、長根裕介院長（娘の夫）の埼友クリニックでCTを撮って貰ったら、その部位に陰影が見つかった。入院するべきかどうか……ドクターは言葉を濁すものの、入院は必要との口振り。

「煙草が吸える特室なら、入院すればいい」と娘（亜紀子）は言うが、ここは全館禁煙なのでそれは無理。結局、病院へ戻る。するとさっそく、娘はA棟2階の特室に入院しろ！　と言わんばかりに準備を整えている。特室前には喫煙所があるからだ。治療法としては抗生剤入りの点滴に、ネブライザーで吸入、あとはひたすら安静、ということにあいなった。
皆さん、ご心配をお掛けしてすみません。お世話してくれてありがとうございました。今後の瀬戸後の体制を、検討する必要に迫られてきています。宜しくお願い致します。

２０１７年11月16日

人の行動を止める冬将軍

寒波が押し寄せ、日本中寒さに震えている。特に北陸地方では、福井を始めとして１m以上の雪が積もり10人以上の死者が出ているという。街中が何日間も雪に埋もれ、身動きが取れない。降雪に閉ざされた道路では、１，５００台もの車の列ができたと聞いた。そういう中での平昌オリンピックは、興ざめともいえる。

私の執筆活動も佳境に入り、最後の段階に入りました。殆どの打ち合わせは終わりに近づき、3～4月には本が出版される見通しとなっています。皆さん楽しみにしていて下さい。内容は見てのお楽しみに！

２０１８年2月15日

阿弥陀様の心

酷暑の夏も過ぎ、やっと秋めいてきました。そんな中、私は9月16～17日に京都へ行ってきました。南禅寺で大学の卒後50年

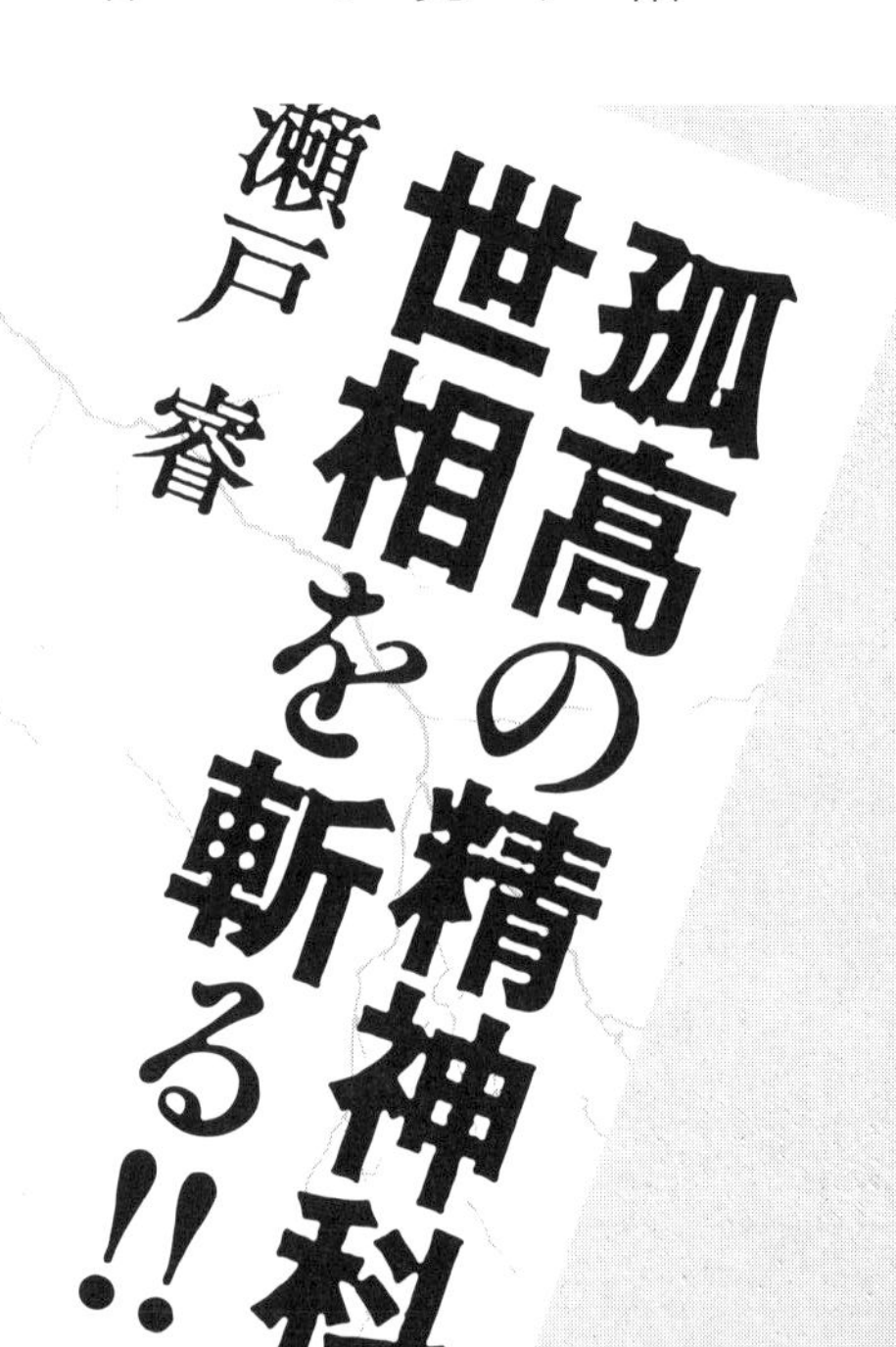

目の同窓会があったのです。

若いころの面影を残しながらも、みんな歳をとったなぁと思い、それぞれこの50年紆余曲折しながら自分と同じように今ここにいるんだろうなと、長いようで短い人生の不思議な感触を味わいながらの再会でした。

翌日は、同行した山本勉越谷市立病院名誉院長と禅林寺永観堂に行き、見返り阿弥陀像を観てきました。横向きの阿弥陀様を観るのは初めてでしたが、なんとも人間臭さを感じさせる如来像だと感じ入りました。

永観堂の説明によれば、この横向きの阿弥陀様のお心は、禅林寺住持を務めた僧・永観の「みな人を渡さんと思う心こそ　極楽にゆくしるべなりけれ」という和歌に表れているそうです。いわく、「自分より遅れる者たちを待つ姿勢」「自分自身の位置をかえりみる姿勢」「愛や情けをかける姿勢」「思いやり深く周囲をみつめる姿勢」「衆生とともに正しく前へ進むためのリーダーの把握のふりむき」という事だそうです。真正面から見るのではなく、正面にまわれない人を案じて、横を向いている阿弥陀様の心を表したものとのことでした。

精神科のスタッフの姿勢もかくあるべきかと思い、心打たれました。

2018年9月20日

教員の働き方

もう50年近く精神科医をやっていて、不思議に思うことがある。それは、外来診察に来られる教員と警察官の多さである。最近、警察官は少なくなっているが、教員は逆に増えてきている。相談に来られる教員は30代から40代の方が多く、どなたも今にも倒れそうな、疲れ切った表情、態度である。

話を聞くと、自分の時間がとれず、授業と部活、保護者への対応、子供たちの安全と健康への配慮で目一杯であり、全くゆとりがない。そこへいじめ対策や保護者からのクレーム対応等が重なると、心も体もついていけなくなる……というのである。実に、皆さんダウン寸前の状態で、身も心も擦り切れているのだ。

何故、学校の先生方はこんなに疲れているのだろう？　そう思ってネットで調べてみた。すると先生方が置かれている、驚くべき状況が分かった。この10年間の教員の過労死が、63人にも上ると毎日新聞の調査で明らかになっていたのである。

文部科学省が２０１６年度に公立校の教員を対象に行った「教員勤務実態調査」では、「過労死ライン」を超える教員が小学校で3割、中学校で6割もいるという。この過労死ラインとは、単純に労働時間の長さから設定したものだが、これが「月80時間以上の時間外労働」なのだ。月間20日勤務とすれば、１日あたり4時間の残業が続いている計算である。

更にびっくりするのが、残業代はゼロであるという。これは、１９７１年に成立した給特法によるもので、今後成立させようとしている高度プロフェッショナル制度や裁量労働制と同じで、定額働かせ放題の法律なのである。

こういう教員の必死の頑張りに、子供たちは支えられている。この事実に、私達は気付くべきであるし、現状を変えるように働きかけなければならないと思う。教員に休みを与えよう！　残業代を支給しよう！　と。

２０１８年10月12日

新たな道を

年末年始は特に問題なく過ごすことが出来ました。今、医師の労働時間が長すぎると問題になっていますが、当直時間は構わないのでしょうか？

私は44年間、院長職をやってきました。医療や経営の知識など全くない者が、成り行きで経営者となって、四苦八苦どころか四十苦八十苦の44年間でした。振り返ってみると様々なことが思い出され、よくやってきたなぁとの思いを強くしています。これ迄、振り返る暇もなく、前を向いて歩いたり走ったりしてきただけですからね。やっと院長職から離れ、新体制に移り変わります。私のやってきたことの総括もし、新しい道を皆さんで切り開いて下さい。精神科医療のあるべき道を。

２０１９年１月17日

何が起こるか分からない

ひどく寒い日が続いています。

池江選手の白血病には驚かされました。去年のアジア大会で6個の金メダルを獲得し、大会の最優秀選手にも選ばれ、今後の大活躍が期待されている18歳の少女に訪れた不運。競技よりも、まず治療に専念することが第一です。何が起こるかわからない人生です。泣きながらも耐える、辛抱することが求められます。

２０１９年２月14日

時代を超え、今から未来を生きる

春の暖かさも感じられてきて、先週から病棟入口の燕の巣に燕が飛んできています。春だなぁ、と実感しているところです。

先週は62年ぶりの仙台の中学校の同窓会に行ってきました。驚きましたねぇ、これが一緒に遊び歩いていたアイツかと。昔の面影を残している人は殆どおらず、名乗られた名前と自分の記憶、それと目の前にいる老人の姿がかみ合わず、不思議な心境になってしまいました。話をしていると昔のアレコレが走馬灯のように思い出され、会話が弾みましたが……。60年間、それぞれがそれぞれの生き方をして、浮いたり沈んだりして、今ここにいるんだな、との感慨を抱きました。
同窓会の翌日は、中島みゆき初の映画「夜会工場Ｖｏｌ・２」の試写会に行ってきました。「時代」で世間に衝撃を与えた歌心とはまったく違う、たくましい女性に変身したみゆきさんの姿に、違う意味で驚きました。5月3日から全国で上映されます。みゆきファンは是非お見逃しなく。

２０１９年４月18日

長い連休の過ごし方は？

4月27日から5月6日まで10連休とは、これまたとんでもない話です。10連休とはいえ休めない企業や、休むと給与が減る職種の方も多いはずです。病院に定期的に通院している方の中には、連休で病院が閉まり、困った方がかなりいたのではと思います。銀行が休みだとお金が引き出せませんし、急な振り込みもできなくなります。何でも行き過ぎは困りますね。

私はどうしていたかというと。二十数年分の埃が積もりに積もったリビングの大掃除、職員の協力を2日間も得て断行した断捨離。本・新聞紙・DVDの山、着古したズボン・シャツ・下着等の山。整理上手な方っているんですね、お蔭でスッキリしました。さらに、壊れて使い物にならなくなったエアコンを取り換えることができました。これで今年の夏は熱中症にならずに済みそうです。

病院は4月30日、5月1日、5月2日を休診せずに外来を行い、何とか患者さんのご迷惑にならないように配慮しました。

２０１９年５月16日

最も忌むべき精神科治療

6月になり、つばめが巣作りをし、卵を産み、父と母が入れ替わり立ち替わり卵を温める。やがてヒナが生まれ、4羽が賑やかに騒ぎ立てながら口をパクパクさせ、親が持ってきてくれる餌をねだる。この光景を見るのがまた楽しいのです。

昨日「くお〜れの風」があり、映写会をやりました。沖縄の私宅監置とロボトミーの話です。沖縄は1972年に返還されるまで日本の法律が適用されず、私宅監置が続いていたとのこと。一生監置されたまま亡くなった方が多数いたのにはビックリさせられました。

ロボトミーは、アメリカではウォルター・フリーマンという医者が1936年から始めて、1972年に結腸癌で死ぬまで続けていました。ケネディ大統領の妹ローズマリーもこの手術を受けています。20世紀に悪名を馳せた医師といえば、このフリーマンとナチスのヨーゼフ・メンゲレ（この男はアウシュヴィッツでユダヤ人を「私のモルモット」といい、おぞましい人体実験を行った。アルゼンチン－パラグアイ－ブラジル等に逃亡し、死ぬまで逃げ延びた有名な戦犯）といわれています。

戦後、このロボトミーに公立病院が飛びつき、大々的に行われました。ポルトガルの医師、アントニオ・エガス・モニスがロボトミーの治療的価値の発見によってノーベル医学賞を受賞しましたが、後に「もっとも悔やまれるノーベル賞」といわれるようになりました。１９５２年、フランスのアンリ・ラボリがクロルプロマジンを発見したことと、ロボトミーによる人間性の喪失という理由から、ロボトミーは衰退していき、１９７０年代になると世界中の多くの国々で禁止されました。

以上が、映写会で上映したＤＶＤの内容です。

私宅監置やロボトミーを詳しく知らない私にとっては、この映像はショックであり、目を覚まさせられました。抗精神病薬もこのロボトミーと同じく「悪魔の薬」

といわれることが起こるかも知れません。プロパーのいう事にも、常に疑いの目を向けて、慎重に処方することが大事であると思い知らされました。

２０１９年６月13日

ひと夏の経験

長い梅雨が明けたと思ったら、今度は凄まじい猛暑。私も8月9日（金）に希望の里、青い空、かなめと施設を回っている途中で、歩き方がふらふらするようになってしまいました。

ガソリンスタンドで給油をしたけれど、吐き気も出てきて「こりゃダメだ」と家に戻った途端に大量に嘔吐。その上、ひどい下痢となって意識朦朧。熱発して、誰が電話してくれたのか分かりませんが、病院から宮田さん、伊地知さん、小山さんが駆けつけてくれ、病院へ搬送されました。A棟特室に収容され、点滴開始です。誰が世話をしてくれたかも分からないままでしたが、翌日になってめまい、吐き気、下痢等は止まり、熱も下がったのでひと安心。ところが家に帰ろうとすると、周囲の皆さんから「まだダメ！」と押しとどめられてしまいます。外来は清水院長、手塚副院長にお願いしてあるので「明日来て、また点滴すればいいや」と思い、勝手に帰宅してしまいました。

家に戻ると、妻が「まだダメなんじゃないの？」と不安そうな顔を見せますが「明日また行ってくるよ」とその場を繕います。食事は流動食、たっぷりと寝て、翌日は日曜日ですが病院へ行き、点滴を受けて帰宅。夕食は流動食です。

翌月曜日は祝日で、火曜日は盆休み。墓参りに行けなかったのは残念ですが、その分しっかり休むことができました。頭はぼうっとし、よろよろ歩きですが、何とか復帰し仕事をこなせるようになりました。おそらく熱中症だったのでしょうが、何にしてもたいへんな夏の経験でした。

2019年8月22日

大阪なおみは世界ナンバーワンになる!~なぜ優勝したのかの一考察

大阪なおみが全米、全豪共に制して優勝した。私は、その殆どの試合を観た。テニスの試合では何が大事なのか?　私は、高校時代に東北選手戦で優勝し、インターハイに2度(高2、高3)出場し、大学では関東代表にもなった経験がある。その経験から、テニスでは①集中力 ②粘着力 ③コントロール ④適切な判断力 ⑤勝つことを考えないことが求められる、と信じている。

テニスの試合は長時間に及ぶので、油断すると試合中に気が緩むことがある。こうしたことが無いよう、集中力を維持することが重要だ。それにはまずボールを穴が開くほど見続けること。どんなイージーボールでも目を離さないことが大事になる。

また、テニスは0－6、0－5と押されていても、最後の1ゲームを落とさなければ負けにならない。だから決してあきらめない粘着力が勝利のカギとなる。取れそうもないボールでも拾いにいく粘りが必要だ。

コントロールについていえば、まず深いボールを打つことだ。パッシングショット以外はどんなボールでも、ベースラインのごく近くまで打ち込むようにする。

適切な判断力というのは、たとえば試合当日の天気、風向き、気温、コートの状態を見てボールの動きを予測し、判断することだ。風向きひとつでサービストスの上げ方が変わってくるし、固いコートか柔らかいコートかで、戦略の選択が変わってくる。

勝つことを考えないというのは、試合において矛盾した考えのように聞こえるかもしれない。だがこれは「勝ち負けに拘らない」ということではなく、勝ち負け以前に、今自分の持っている力を全部出しきることだけを考えて試合を押し進めるということだ。自分の力が相手を上回れば勝つし、そうでなければ負ける。私は、テニスはこの5つに尽きると考えている。

なおみちゃんはどうだったか？

①の集中力は、以前のなおみちゃんは集中力の点でムラがあった。凡ミスをしたり、相手にいいショットを決められるとラケットを投げたり。次のプレイに集中できなくなっていた。だがコーチの適切な指導を受け、投げやりにならないことを憶え、集中力が途切れないようになった。これにはまだ不十分な面があるが……。

②の粘着力は、拾えなかったボールも適切な anticipation（予想）を練習で鍛えて、拾えないボールにも飛びつき、打ち返せるようになった。時にはそれがエースになったりする。つまり粘りが加わったのだ。

③のコントロールは、どんなに深いボールでもきちんとライジングボール（ボールが弾んだ直後に打ち返すボール）で、しかも深いボールで打ち返すようになった。そしてそれが、相手のミスを誘い出す。このパターンでポイントすることがかなり多かった。ロビング（頭の上を越す球）とドロップショットはこれからの課題か。

④の適切な判断力は、なおみちゃんの今迄のプレイを見ただけではわからない。

以上のように勝手に総括してみたが、おおむね及第点であった。

彼女は決勝でクビトバと戦ったが、クビトバは強かった。セカンドセットでの0－3のブレイクチャンスに決してあきらめず、サービスエースを決める。そのゲームを取り続け、なおみちゃんのサービスを破り、セカンドセットをもぎ取った。なおみちゃんはセカンドセットを落とし、かなりショックを受けたようで、暗い顔をしてトイレ休憩に行ってしまった。戻ってきても、なおみちゃんの顔はやっぱり暗かった。表情が別人のようだったから、これは負けを引きずっているなと暗い予感

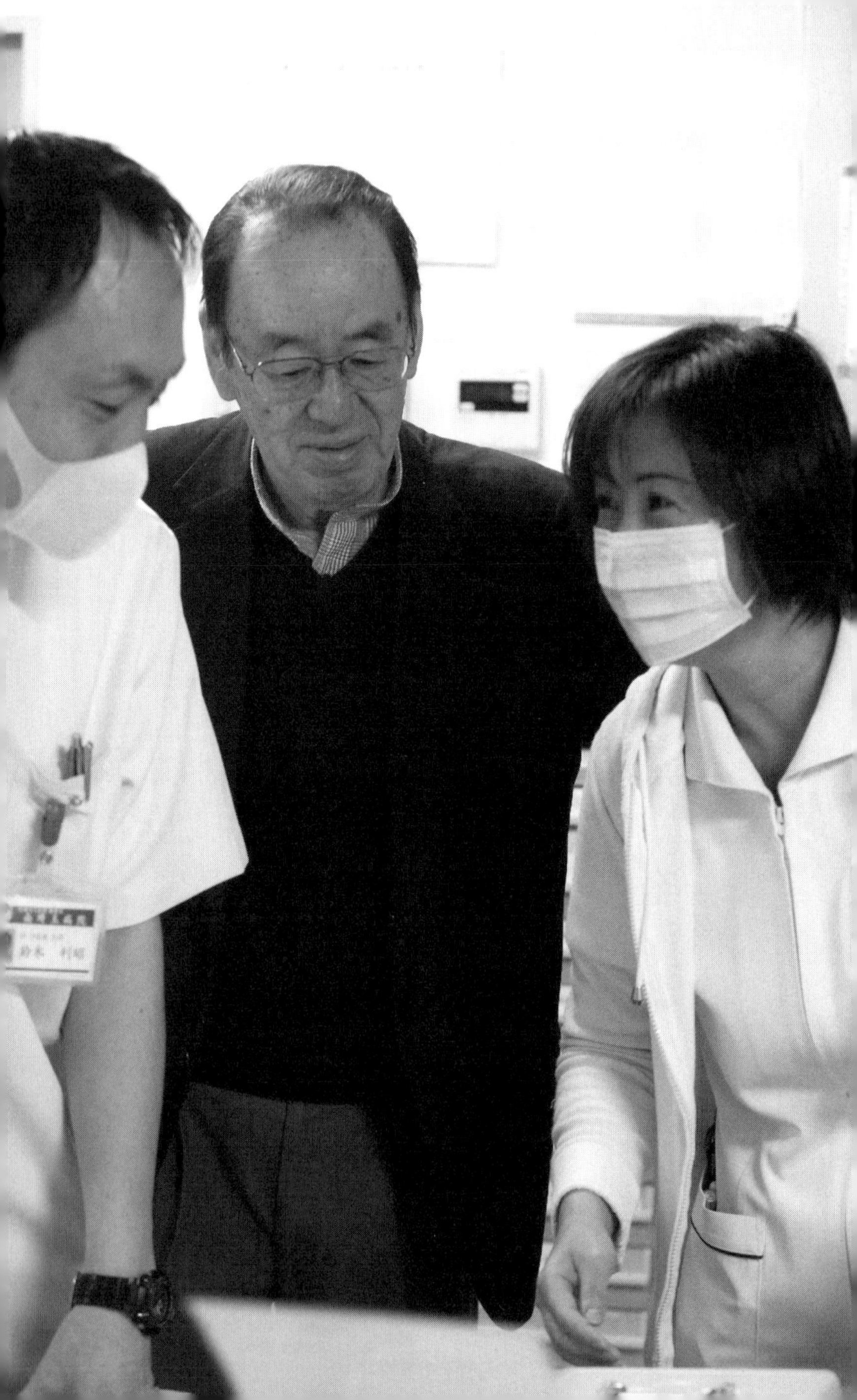

がした。

しかし、なぜかクビトバが1ゲーム落としてしまった。3－4になり、またクビトバは0－3のゲームポイントを迎えた。さすがにこれは落とすだろうと思っていたら、これもファーストセットと同じように挽回してキープし、4－3で勝っている。なおみちゃんはそれでも、ガッツポーズをすることもなく、エースを取られても悔しい顔をせず、全くの無表情で淡々とプレイしていく。5－4になった、なおみちゃんがサービス、これをキープすれば優勝、サービスがすこんと入る。マッチポイントを迎え、それをクビトバがミスしなおみちゃんが優勝。

しかし、なおみちゃんは何が起きたのかわからない顔で、コート上でボーッとしている。観客が大騒ぎしているのを見て、やっと試合が終わったんだ、勝ったんだと思ったのだろう、ベースラインの真ん中に座り込み、顔を覆ってしまった。徐々に顔を上げてきて、しばらくしてやっと笑顔を見せる。優勝した時は、ナダルにしても、セリーナにしてもコートの上にひっくり返って喜びを表現したものだ。しかし、なおみちゃんはそのガッツポーズを取らなかった。喜び勇んで家族やコーチたちの下に駆けつけることもしなかった。コートサイドのベンチに座り込んで、顔をタオルで覆っていただけだ。

一体何が起きたのか？　私はしばらくそれを考えて、そしてやっと自分なりに理解した。なおみちゃんはセカンドセットを落として、本当にガックリきたのだ。もう負けてしまったと。以前のなおみちゃんなら、それで崩れてしまっただろう。なおみちゃんはガックリしたまま休憩に行き、短い時間の中で考えた。「負けるかもしれないこのマイナスな気持ちを背負って負けてしまうのはみっともない。負けてもいい、また精一杯戦ってみよう。勝負は二の次だ、いかに戦うかだ」と。休憩から帰ってきたなおみちゃんの顔は、1、2ゲームで見られた表情豊かな顔つきではなかった。ミスをしても、エースを決めても、悔しがりもせず、ガッツポーズもせず、全くの無表情で試合を進めていった。3本のブレイクチャンスを逃しても変わらず、淡々としていた。ただ精一杯やろう、勝ち負けは後からついてくる。その思いで、心が揺るがなかった。マッチポイントを握った時も、それがマッチポイントだと気付かずに……。そして勝った。これでなおみちゃんは、なおみさんになった。この一勝は、とてつもなく大きい。この先に全仏、ウインブルドンが待っている。ここでつかんだ心の持ち方、「勝ち負けでなく勝負にこだわらず全力で集中する」を維持していけば、もう怖いものはない。四大大会の制覇はなおみさんのものになるだろう。皆さんも期待して見てください。ハラハラドキドキしながら。

2019年冬

15歳って子供？ 大人？

皆さん知っていますか？ テニスプレイヤーのコリ・ガウフというひと、今15歳で全豪オープンに出場し、3回戦では大坂なおみに6－3、6－4で勝ち、4回戦ではソフィア・ケニンに7－6，3－6、0－6で負けた選手です。ベスト16まで進みました。彗星のように現れた中3の少女です。アフリカ系のアメリカ人で6歳からテニスを始めたそうです。今後は、大坂と競い合うテニス界の星ですね。

もう一人の15歳は「響」という名の少女です。『響～小説家になる方法～』という漫画や映画の主人公です。年上であろうと有名人であろうと気に食わない人達を殴ったり蹴ったり、一見自由気ままな少女に見えますが、そこには筋の通った理由があり、自分に嘘をつけず、本音で相手と立ち向かいます。とても痛快で、面白い内容です。

この二人って、共に15歳なんですよ。現実と物語という違いはありますが、ガウフはセリーナ・ウィリアムズや大坂なおみを打ち破り、響は物語の中で大人たちを蹴っ飛ばす。共に15歳だけれど、私を馬鹿にするんじゃないよ、大人にだって負けないぞと主張している。今の安倍政権の自民党等の政治家にも見せてあげたい。本音を出さず、裏工作したり、カジノ（賭博）など不健全な施設を作ろうとしたり、政治家、大人たちは15歳の少女に恥ずかしいと思わないのだろうか。78歳になったこの爺が代わりに謝ってあげるしかないか。爺婆連合党を作って、15歳と連帯して新党を作ろうか？　そして、安倍自民党を倒そう。15歳に選挙権を与えよう、そして腐敗した大人を倒そう!!

２０２０年2月

遠い異国に馳せる思い

昨日、大熊一夫氏に「精神病院のない社会」の上映会と、彼の講演の依頼をメールにて送りました。それがOKなら、オリンピック後の秋頃の開催がいいと考えています。

今、イタリアはどうなっているのだろう。精神病院がなくて、当事者はどう生活しているのだろう。社会での当事者の受け入れはどうなっているのだろう。差別と偏見は消えたのだろうか？　精神病院のないイタリアの現状を知りたいと、強く思っているところです。

2020年2月20日

コロナとオリンピック

コロナがパンデミックになっています。オリンピックというまやかしモノのスポーツイベントは、来年に先延ばしされるでしょう。

戦前のヒトラーを見て下さい。ベルリンオリンピックで、ナチの総統としてドイツを宣伝し、大会を通じて世界にアピールしました。オリンピックでドイツを非難する国はありませんでした。安倍もヒトラーにあやかりたいのでしょう。オリンピックの成功を声高に訴えています。アベノリンピックとなり、安倍の支持率は大幅にUPするからです。商業主義に陥ったオリンピックをコロナが粉砕してくれます。コロナはオリンピックより世界の不幸と戦うことの方がもっともっと大事だよと訴えているんです。その通りです。

大熊一夫氏の映画『精神病院のない社会』の上映会と講演会は、うまくすると10

月16日（金）に中央市民会館で行えるかもしれません。特定非営利活動法人 くお〜れの風・代表理事の、小川奈緒子さんが頑張っています。

「隔離と拘束を0」にする運動は、2月18日にB－2で討論会をやりました。看護等頑張って、いろいろ意見を出し合っていました。都立松沢病院見学も踏まえて、4月15日（水）15時からB－3でもやることになっています。三人寄れば文殊の知恵です。いろいろ出し合って0にしていきましょう。

2020年3月19日

邪悪なるものよ

コロナが世界を席巻しています。

誰が感染しているかわからないことが怖いですね。世界中に行き渡り、特に貧困層の感染率が高く、致死率も高いです。コロナは植松聖ですね。老人をはじめ弱者が多く死ぬ、「役に立たぬものは死ね」と言っているようです。邪悪なコロナに打ち勝ちましょう。

２０２０年４月16日

無能無策、何も変わらない

コロナが続いています。国民の努力で低下傾向が見られますが、何といっても安倍政権の無策ぶりです。「アベノマスク」で５００億円使っても、まだ届かない、国民一人に10万円出すといっても、これも届いていない。支出も世帯ごとに出すのでホームレスの人にはその金も届かない、ＰＣＲ検査も増やさない。３密を避けろと言うだけで、具体的医療政策は何もない。医療は崩壊寸前、経済も低迷。そうした状況の中、国民の大多数が反対である検察庁法改正案を無理矢理押し通そうとするも、最後は断念。安倍の暴走を止めたことだけは痛快でしたが……。兎に角、安倍を降ろさないとコロナとは戦えないことを私たちは知るべきです。

2020年5月21日

すでに世界は狂っている

梅雨入りなのにピカピカ、テカテカと日の光が照りつけている。暑い。

今、コロナで世界の億万長者が兆万長者となっている。アメリカの兆万長者は3月18日から5月19日の間に資産を4，340億ドル増やしたとフォーブス誌が報じていた。コロナがパンデミックになっている世界で、なぜ一握りの金持ちだけが、こんなにぼろ儲けしているのだろう。これだけで、今世界はおかしくなっているこ

とがわかるだろう。

2020年6月18日

大坂なおみが全米オープンで優勝

大坂なおみの勝利は劇的であった。

9月13日（日）の朝5時過ぎから全米オープンの決勝があり、それを見ていた。第1セットのアザレンカの強さはすさまじかった。あの大坂の強打を苦も無く打ち返し6－1と圧倒、あまりの強さにこれは負けだなと直感。大坂もげんなりしているだろうと思って、チェンジコートの表情、態度を見たが、いつも通りの表情だった。けちょんけちょんにやられたのに、落ち込んでいない。どうして平気な顔でいられるのだろうと思いながら、第2セットに見入った。

始めはやはりアザレンカの強さが目立っていた。しかし、１－１からアザレンカのファーストサーブが入らなくなり、大坂のリターンが入り始めた。ファーストの時と違い、強打せずスピンを効かせたゆるく深いボールで返球、それをアザレンカが強打するも、深くてスピンの効いたゆるいボールはミスしやすく、大坂がキープする。あれれ！　と思う間に、何と４－１とリードした。まずいと思ったアザレンカも粘り５－３となり、セットポイント。長いラリーの後、アザレンカがネットミスをして何と逆転して第２セットを取る。第３セットを６－３で難なく取り、勝利した。コートに大の字に寝転がり、空をしばらく仰ぐ。

特に大喜びするわけでもなく、落ち着いて勝利インタビューを受ける。７通りのマスクについて聞かれると「あなたが受け取ったメッセージは何でしたか？　メッセージをあなた方がどのように受け取ったかに興味があります」と答えている。黒人差別は私の問題ではなく、社会の人達がどう思うかが大事ですよと言いたかったのか。その通りだと思った。

翌日にはツイッターを更新し「先祖に感謝したいと思う。彼らの血が私の血管を巡っていると思いだすたびに、私は負けられないと気づけた」と黒人の血への誇りを訴えた。この言葉も素晴らしかった。白人は黒人より優れているという差別が常態化している米国社会、白人至上主義への痛烈な反論であった。これで次の試合も楽しみになった。

2020年10月

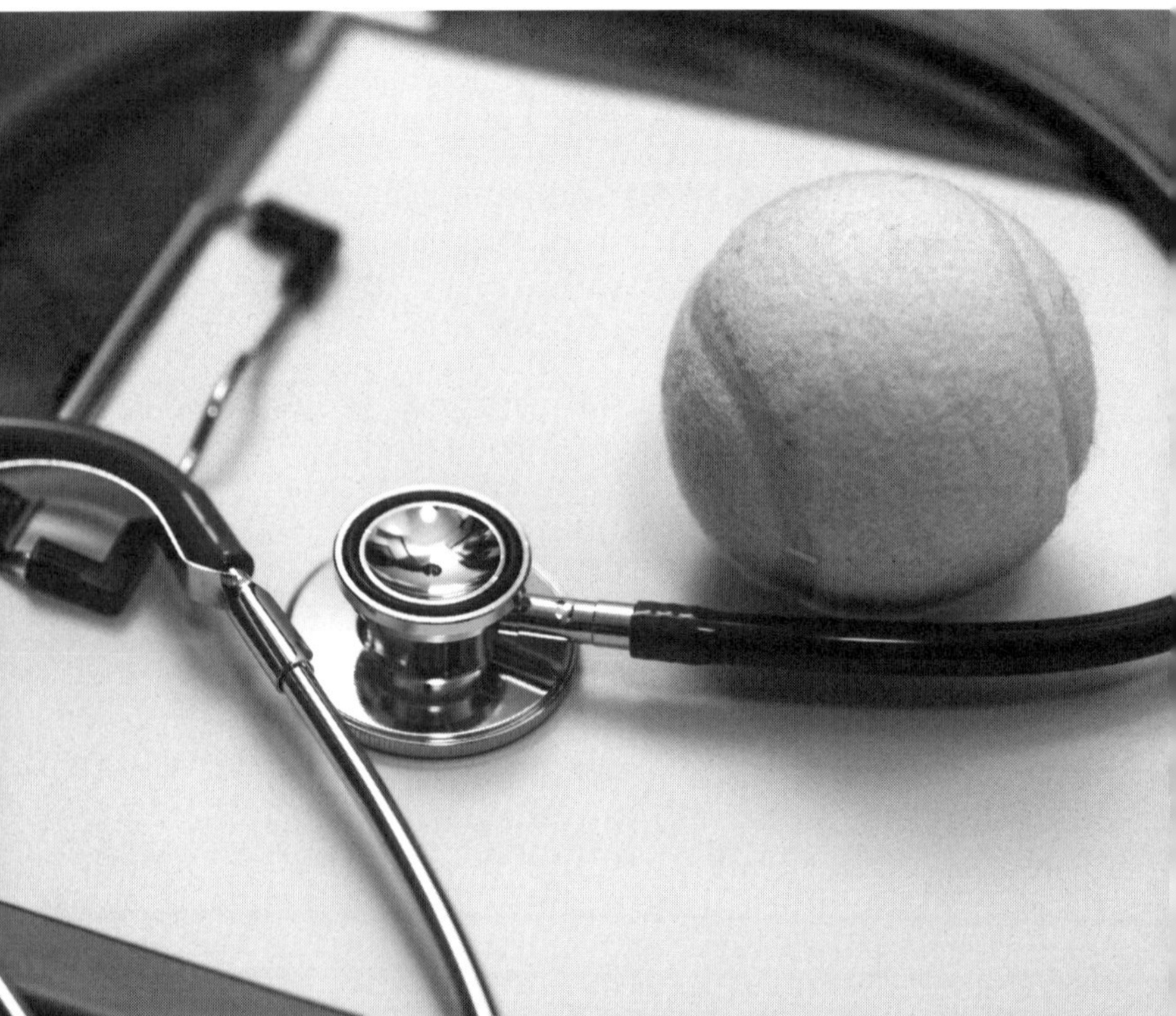

先の楽しみ

ナダルは強かった。シフィオンテクも強かった。ナダルは34歳、シフィオンテクは19歳。シフィオンテクの将来が楽しみだ。四大大会を総ナメにするだろう。そんな観客のいない、全仏オープンというテニス大会であった。

２０２０年10月15日

当分は続くであろう、窮屈な生活

今年も終わりが近づいてきた。
今年は世界中がコロナに圧倒された。国内では１８７，７６９人が感染し、死者は２，７５４人。世界では７，３７７万人が感染し、死者は１６４万人となっている。

他の感染症、たとえば結核やインフルエンザに比べると、それほど多い死者数とはいえない。しかし治療法が確立しておらず、有効なワクチンができていない。さらに保菌していても無症状であれば自覚がなく、他人にうつしやすいということもある。そんなこんなで流行を喰い止められず、全世界でパニックとなっている。

菅はＧｏ Ｔｏキャンペーンを強行し、コロナより経済優先なのかと顰蹙を買っており、不十分な感染対策しか実施できていない。ワクチンの確保がどうなるかで状況は変わるだろうが、コロナが終息するまでには2～3年はかかると思われる。来年に延長されたオリンピックを中止にしないと、日本から世界中にコロナ感染者を輸出する事態にもなりかねない。そうなれば世界からの批判を受けることになるし、国内でも3密を避けるための窮屈な生活を強いられることになるだろう。

2020年12月17日

コロナと自死

『自らの死を私は諸君の前で讃えよう　私が望むゆえに私を訪れる自由な死を』と述べ、自死を肯定的にとらえる人もいます。ニーチェのように自死を讃えながら死ぬ人は稀でしょう。

殆どの人は、多かれ少なかれ苦しみを抱えており、それから逃れるために死を選びます。２０２０年の日本の自死者は２０，９１９人、２０１９年より７５０人増。男性は減少し１，３９４３人（１３５人減）、女性は６，９７６人（８８５人増）、小中高生は４４０人（小学生13人　中学生１２０人　高校生３０７人）で、女子高生は50人も増えています。原因別に見ると女性では健康問題が４，１００人（３９０人増）であり、圧倒的に女性の健康問題の増加が大きいことが分かります。

なぜ女性と小中高生がこんなに増加したのか。それはコロナの影響が大きいと考えるべきです。コロナの蔓延によって、パートやアルバイト中心の女性雇用が大幅に減ったこと、非正規雇用が多く、雇い止めで失業、介護や育児で孤立。それらの悪材料が、女性や若者を直撃したからでしょう。どうしようもない状況で自死に向かうことは当然とも見えます。

一方で株価は上がり続け、企業の内部留保金も上がり続けて、2019年には475兆円にも上っています。大企業が金をため込む、労働者階級にはお金が回らず四苦八苦、格差はますます拡大していきます。資本主義社会の当然の帰結です。資本主義を打ち破り、労働者の復権を目指す社会を築かなければなりません。コロナで見えた資本主義社会の矛盾を打ち破る社会の構築が、今私たちに求められています。それがコロナ等で弱者に強いられた自死を防ぐ、最良の方策です。

2021年2月

その時のために、何を準備すべきか

2月13日（土）23時頃、全豪オープンを観ていると、スマホがチリチリと鳴り、同時に体が左右に揺れ、窓がキリキリと鳴る。スマホが「地震です 大きな地震です 安全な所へ移動して下さい」と何回も繰り返している。縦揺れから横揺れに変わり、いつもより長く大きく揺れている。じっと我慢して揺れ具合を見る。テレビもすぐに地震情報を伝えている。

数分して揺れも収まり、ホッとするがまだ油断はできない。震源地はどこだ！とテレビを観ると、福島県沖でマグニチュード7.3。福島、宮城で震度6強、越谷で4と映し出される。東日本大震災の規模ではないなと思いながらも、震度6強というのはかなり危ないと思い、仙台の友達に電話を掛けようかと思ったが、深夜であるし大慌てで混乱しているだろうと思ってやめた。テレビの地震速報を観続けると災害はそれほど大きくなく、死者も少なそうと思いホッとして寝付く。翌朝の新聞やテレビでも被害は予想より大きくなかったので再びホッとする。

80年近く生きてきたが、災害はいつ起こるかわからないといつも思っていた。だが、起きてしまうとすぐに忘れて、元の生活に戻ってしまう。ただただ、運が良かっただけだ。だが、その運の良さがいつまでも続くとは限らない。ならば、これからどうする?

その時の対策を考えることは大事だが、災害時に何が起こるか、そのすべてを想定することは難しい。想定外のことが起こるのが災害なのだから。心構えとしては、その時はその時だ、と覚悟を決めておくことも大事だ。80歳近くになって、遺言を書こうとまた思ってしまったが、それをやれるか、不安な年齢である。

全豪オープンで大坂なおみが勝つかどうかに目がいってしまう。4回戦ではマッチポイントを2回も取られながらよく勝ったなぁと、奇跡の逆転勝利に感激してしまう日常に戻ってしまっている。
そんな私の日常には見向きもせず、コロナの脅威は続いている。

２０２１年2月18日

コロナ抑止に全力で

桜が咲き始め、三寒四温で暖かみも感じられる初春となってきました。
コロナは今も終息していません。第４波もやむを得ないでしょう。国も都もオリンピックを開催するつもりでしょうが、現状ではどの国も来たがらないでしょう。いずれは中止を表明しないといけないのに、煮え切らずにいます。世界はオリンピックを開催するより、コロナの感染を押さえることが第一です。何兆円もかけて収益事業と化したオリンピックなど、開く意味はありません。国民は政府が思うほど馬鹿ではありません。世論調査では70〜80％の人が、オリンピックの中止を求めています。病院の方は、コロナ予防を徹底しているためか、発生を喰い止められています。しかし、まだまだ油断はできません。気を緩めず、対策を徹底していきましょう。

2021年3月18日

多事多忙の三月

桜も散り、ツツジの季節になった。三寒四温はまだ続く。

3月は、いろいろなことがあった月だ。3月10日は東京大空襲、アメリカのホロコーストだ。10万人もの人々が虐殺された。10年前の3月11日には、東日本大震災があった。そして春休み、卒業式、年度替わりなどなど。

新年度には東京オリンピックが予定されている。国民の大多数が反対しているのに、政府と企業はコロナがどうあろうと、自分たちの利益のために強行しようとしている。嘆かわしい。

当院はコロナ発生を未然に防いでいる。職員一同の努力のたまものである。続けていこう。

2021年4月15日

格差社会の進行

今、世界中がコロナの脅威で大変なことになっています。どこへ出かけるのも不安で、家の中に引きこもっている状態です。

こんな状態であっても富裕層はますます肥えて、貧困層はますます貧乏になり、格差が拡大しています。コロナウイルスは貧富の差に関係なく平等に人に感染するはずですが、金持ちはお金でいくらでも身を守ることができ、お金のない大多数の労働者は身を守る手段がないまま、放置されています。

世界のお金持ち上位26人の総資産と、貧しい人達（ボトム・ハーフ）38億人の総資産が、二年前に同じ額になりました。今はその格差が日増しに増え、ビリオネア（個人資産が1000億円以上の長者）の資産は、1日あたり2500億円も増えているのです。5歳までに死ぬ人は倍になり、大金持ち（ビリオネア）の0.5％の税金で330万人の子供の命を救える、という状況になっています。これはリーマンショックを発端として、法人税の過剰な引き下げ、医療や教育予算の削減などが、資本家の要求で世界で行われたためです。それがコロナでますます拡がってきているのが現状です。ただでさえ日本では法人税の税率が最高でも23・2％と低い上に、雇用難、非正規労働者の増加、女性と若年労働者の低賃金等により、経済格差の拡

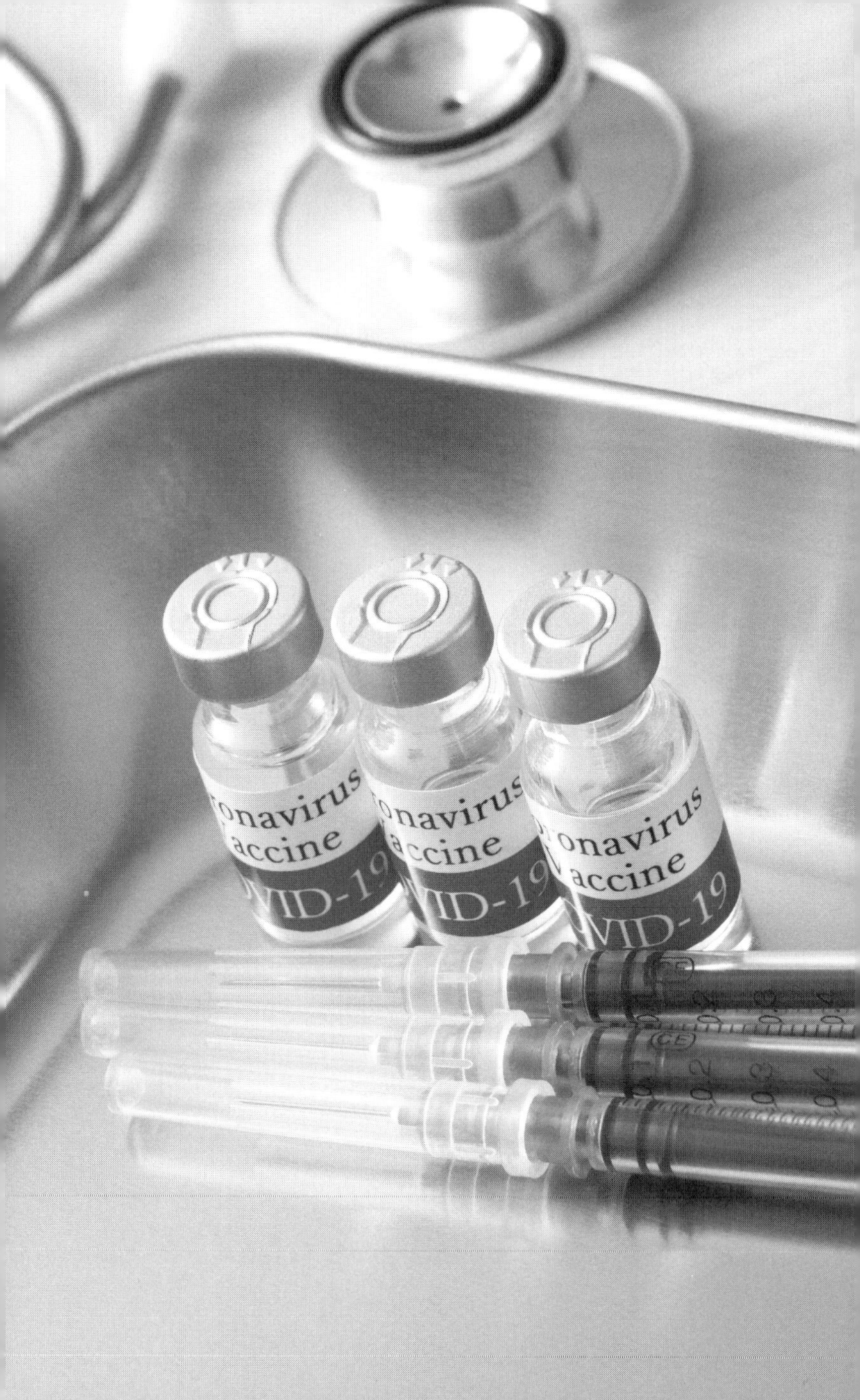

大という問題を抱えていました。それがコロナの拡大により、増々進行していくのです。ひと昔前には「一億総中流」などといわれてましたが、そんな感覚はとっくにどこかに飛んでいってしまっています。

企業が貯め込んだ内部留保金は、すでに500兆円にもなろうとしています。それは労働者への賃金を抑えていることが大きな要因です。組合は春闘もやらず、賃上げ要求をしなくなりました。増えるばかりの非正規労働者が、低賃金で働かされています。企業側の力が強くなり、相対的に労働者側の力が弱くなっているからです。そのため、自民党等保守勢力が数々の問題を持ちながらも生き延びているのです。日本全体の保守化です。このままいくと、日本の誇るべき憲法は改悪され、憲法九条がなくなり、自衛隊も軍隊化されるでしょう。弱者は自ら生きていくことの自己責任を問われ、生活保護費は下がり、高齢者の医療費は1割から2割へと引き上げられ、社会的弱者に対する締め付けが強まっていくでしょう。その流れを何としてでも食い止めなければなりません。

私は80歳になりますが、今からでも「老人党」でも立ち上げ、ぎっくり腰に鞭打って、この保守化を食い止めるしかないと、半呆けの頭で考えています。

２０２１年６月

沈黙の夏が来る

もうすぐ梅雨が明ける。真夏の青空と猛暑が来る。

同時に白けたオリンピック、無観客でアスリート達は何を競うのだろう？　コロナだけは静かに蔓延する。お盆もどこにも行かず、家の中に閉じ籠る、病院も物淋しい夏となるであろう。外出恐怖症の人も奇異な目では見られない、みんな同じだから。

祝日が変わったので間違えないでね。

2021年7月15日

校則を廃止すべき――子どもの人権侵害

昔から学校には校則があった。その校則に従わないと罰を受けたり、停学や退学という処分を受けたりした。ほとんどの生徒たちは、その校則に従って生活を送ってきた。最近になってやっと校則について疑問に思う生徒や親たちが現れたが、それは「変な校則」があるからだった。

「髪は黒くないと駄目」「パーマをかけてはいけない」「短かったり長かったりするスカートは駄目」「ピアスは駄目」「バイト禁止」「スマホの持ち込み禁止」などなど。それらを称して『ブラック校則』というらしい。

もともと校則というものはなぜ生まれたのか。戦前には校則らしきものは特になかった。戦後、憲法が制定され、子供が教育を受ける権利（義務ではなく）が保障されるようになったが、当時はきちんとした校則は少なかった。しかし1980年代に校内暴力などが多発したため、生徒指導を拡充する目的で厳しい校則が定められるようになった。1990年代になると厳格性だけではなく、他の面での校則の内容、運用が拡大化する。保護者や地域社会の意見が学校へ要求されるようになり、校則は学校の規則になってしまい、現在のような状態に至った。

法的には「部分社会論」がいわれ、個の自由をはじめとする憲法上の諸権利は「公権力と個人との関係を指すもので、私人関係には干渉しない」という意見で校則は認められている。しかし、国連の児童を守る姿勢もあり、各国には校則はあっても最小限の約束にとどめておくことになっている。ドイツでは始業、終業、休憩時間や校庭の使い方などのルールだけが定められている状態であって、児童の権利に関しては関与していない。むしろそれは本人と親の権利であるとされ、学校は関与しないことになっている。

今の「上から」の一方的な校則は廃止し、生徒、保護者、教師が話し合いをし、ゆるやかな約束ごとを決めればよい、と思う。個の自由に根ざす、児童の諸権利を守ることを前提に対処すべきである。一般的に国民が守らなければならないこと……たとえば、盗んだり、人を殴ったり、いじめたりすることは、いけないことだと説明し、それをテーマに教師、生徒、保護者で一緒に話し合い、総員の納得の上で校内のルールを定めるか、最小限のものにするかを決めればよい。そして原則的に「服装は自由」「化粧も自由」「髪の色も自由」「スマホを持ち込むのも自由」として、可否の判断基準は「他人に迷惑をかけるのかどうか」で判断すればいい。

校則がなくても、やってはいけないことはやらないように生徒自身が考え、実行する生徒達を育てていけばいい。

学校に行く、行かないも生徒自身の権利なのだから、行きたくなければ行かなくてもいいのだ。しかし、先生も保護者も社会も不登校はいけないと思っている。「不登校は悪いことではないんですよ、本人の権利だから」「行かない権利は子供さんにあるのです」「ケツをひっぱたいたりおだて上げたりはしないで、温かく見守ってあげることからスタートして下さい」と、私は常々不登校の相談に来る家族の方に言っている。

実をいうと、私の娘も高3の時に退学の道を選んだ。私たち両親はただ、見守るだけだった。学校に行け！　などと叱ったことは、一度たりともなかった。自分の道は自分で決めることだと思ったからだ。その後、娘は自分で自分の道を見つけ、大検を取り、その後、医学部に入り医者になった。

もっとも、彼女がなぜ退学に至ったのか、その理由は未だに分かっていないし、聞こうとも思っていない。

２０２１年７月

オリンピックそのものの変容

梅雨が終わり、真夏が来る。コロナが真っ盛りの時にこの真夏。そして、オリンピックだ。観客がいない会場で、各国のアスリートだけが技を競う。金メダルを取っても誰も祝福する人はいない。誰も感動を受けることがない。そんなスポーツを、誰が喜ぶのだろうか？　主催者だけが「オリンピックをやったぞー」と喜ぶだけである。全く白けた東京オリンピック、世界中に恥をさらけ出して誰もいないところでの閉会式、オリンピック自体が商業化してきた故でもある。

オリンピックは19世紀末にフランスのクーベルタンが古代ギリシャのオリンピア

の祭典をもとにして世界的なスポーツ大会を開くよう訴えて成立したものである。プロはダメでアマチュアだけが参加できた。その後、オリンピックは政治に振り回され、ナチスの国威発揚に使われたりした。女性の参加は、１９００年のパリ大会でのテニスとゴルフからで、陸上競技での参加は１９２８年からだった。第二次世界大戦後から徐々に参加国は増え、現在のような世界の国々が参加できるようになった。プロの参加は１９７４年から認められた。

オリンピックが大規模化するに伴い国威発揚や商業主義に使われて、オリンピック委員への賄賂、ボランティアの無給労働などの問題が出始め、オリンピックは腐敗を強めていく。便乗広告もまかり通るようになっていった。日本も東京にオリンピックを呼び込むために、かなりのお金を役員にばら撒いたことが問題になっている。ちなみに日本では、メダリストへの報奨金は金メダルで５００万円、銀で２００万円、銅で１００万円となっている。

だからオリンピックそのものは、設立当初の純粋な形態ではなくなり、かなり汚い商業主義の蔓延るスポーツ大会に成り下がっている。アスリートたちはそれを知らずに、金メダルを目指して頑張っているので可哀想だといえる。

２０２１年夏

世界と日本を襲う異常

世界も日本もおかしくなっている。コロナの大流行やアフガニスタンのタリバン復活、ハイチの大地震、日本では九州、中国、四国で線状降水帯による大雨。ここに台風でも来たらどうする？　みんな家に閉じ籠るしかないのか？　貧しい世帯は、夏休みで子供の食事にも苦労している人達が増えているという。

２０２１年８月19日

あとがき

なにせ疲れやすい。立つのもやっと、ヨチヨチと10mほど歩くと、足腰が痛くなって10秒位休む、その繰り返しだ。若いころの十数倍もの時間がかかる。あの頃はテニスの東北チャンピオンで、インターハイに2度も出場した私なのに。

だがウインブルドンは観続ける。女子はポーランドのシフィオンテク、男子はスペインのナダル推しだが、今回は出場していないのが残念。若手のガウフは注目株だし、39歳で今もトップシーンに登場し続けるフェデラーも、たいしたものだ。

十数年前に直腸癌の手術を受けて、まだ生きている。元プロ野球選手の大島康徳は東京新聞に「この道」という連載を続け、77回目を書いた途端、今年の6月30日に亡くなってしまった。その最期の言葉は「癌は公表しなさい」だったという。周りの人に「癌の人に過剰な配慮はするな！」と、一人の癌患者としてのお願いを書いていた。

私も一人の癌友として、大島氏の言葉に納得する。最期にはいいことを言いたいものだ。

「私もこれで終わりですね。みんなは戦争終わりにしてね」と、タバコの煙を吐きながら死を迎えたいと思う。

日本社会は鬼ばかり
老練精神科医の時評

2022年2月5日　初版第1刷発行

著者／瀬戸 睿

発行人／瀬戸 睿
編　集／植野徳生
写　真／志立 育
装　丁／河村貴志
印　刷／株式会社シナノパブリッシングプレス

発　行／朝日エディターズハウス
〒343-0845 埼玉県越谷市南越谷1-4-53-103（東武朝日編集室内）
TEL：048-985-2926　FAX：048-985-2927

発　売／株式会社 ヴォイス
〒106-0031 東京都港区西麻布3-24-17 広瀬ビル2F
TEL：03-5474-5777　FAX：03-5411-1939

ISBN：978-4-89976-530-1
Printed in Japan